Jürgen Todenhöfer

Wer weint schon um Abdul und Tanaya?

Jürgen Todenhöfer

Wer weint schon um Abdul und Tanaya?

Die Irrtümer des Kreuzzugs
gegen den Terror

HERDER

FREIBURG · BASEL · WIEN

Gedruckt auf umweltfreundlichem,
chlorfrei gebleichtem Papier

Alle Rechte vorbehalten – Printed in Germany
© Verlag Herder Freiburg im Breisgau 2003
www.herder.de
Satz: Barbara Herrmann, Freiburg
Druck und Bindung: fgb · freiburger graphische betriebe 2003
www.fgb.de
ISBN 3-451-28115-5

Solange ich noch eine Stimme habe,
werde ich schreien:
„Friede, im Namen Gottes!"
(Papst Johannes Paul II.)

I.

Es war einer dieser Albträume, aus denen man verzweifelt auszubrechen versucht, weil sie so schrecklich sind. Dabei hatte der Traum so harmlos angefangen. Ich träumte, ich leitete unsere Verlagskonferenz im Offenburger Medienpark – eine Routinesitzung mit ernsten und weniger ernsten Themen. Als die Assistentin von Reinhold Hubert, dem Hausherrn des Medienparks, leise den Raum betrat und das Fernsehgerät einschaltete, dachte ich, sie wolle eine Präsentation vorbereiten, einen neuen Imagefilm, einen Trailer zeigen.

Aber das, was der Bildschirm zeigte, war kein Trailer und kein Imagefilm, sondern eher Science-Fiction. Ganz langsam wie in Zeitlupe schob sich eine Boeing 767 in ein majestätisch silbergrau schimmerndes Hochhaus. Irgendjemand rief mit gepresster Stimme: „Das ist doch das World Trade Center." Plötzlich standen alle vor dem Bildschirm. Immer wieder bohrte sich das riesige Flugzeug in das gigantische Hochhaus. Wie durch Watte hörte ich die Stimmen aus dem Fernsehgerät. Das durfte alles nicht wahr sein. Ich musste aus diesem Traum raus.

Plötzlich sah ich – war das eine Wiederholung? –, wie sich ein zweites Flugzeug in den zweiten Turm des World Trade Centers hineinschob. Ich wusste nun gar nicht mehr, ob ich im Traum, in der Realität, in der Wiederholung war. Unaufhaltsam bohrte sich ein Flugzeug erst in den einen, dann in den anderen Turm. Warum drückte niemand die Stopptaste? Wann war dieser verdammte Albtraum endlich zu Ende?

Hinter mir standen kreidebleich Reinhold Hubert und Jochen Wolff, der Chefredakteur der *Super Illu*. Sie telefonierten mit ihren Redaktionen. Worte wie „Sonderheft",

„alle Mitarbeiter sofort in die Redaktion" schwirrten durch den Raum. Ich begann zu realisieren, dass ich aus diesem Albtraum nie mehr erwachen würde. Dem internationalen Terrorismus war sein feigster, mörderischster, aber auch sein kühnster und genialster Anschlag gelungen. Ein Anschlag von luziferischer Größe. Mein Albtraum war Realität.

Ich sah, wie sich Menschen in die Tiefe stürzten, wie die schwer getroffenen Twin Towers wie geschlagene Boxer in die Knie gingen, wie eine gigantische Staubwolke aufstieg, die Menschen vor sich hertreibend und das Zentrum Manhattans unter einer dichten Staubwolke begrabend. Dann wollte ich nichts mehr sehen. Ich musste an die frische Luft.

Draußen rief ich mein Münchner Büro an und bat meine Assistentin Veronika Geiger, mich mit meiner damals 19-jährigen Tochter Valérie zu verbinden, die sich in New Jersey, in der Nähe von New York aufhielt. Nach einigen Minuten hatte ich eine Freundin von Valérie am Apparat. Mit zitternder Stimme sagte sie, Valérie sei am Vorabend zu einem Konzert nach Manhattan gefahren. Dort habe sie auch die Nacht verbracht. Mir stockte der Atem.

Ein wildes Telefonieren begann. Wieder und wieder versuchte Frau Geiger nach Manhattan durchzukommen. Aber das Telefonnetz war mit den beiden Zwillingstürmen zusammengebrochen. Endlich, nach drei Stunden erreichte meine Assistentin das Hotel, in dem Valérie ganz in der Nähe des World Trade Centers übernachtet hatte. Die Rezeption teilte ihr mit, alle Freunde Valéries seien wohlauf, nur Valérie sei seit dem Morgen spurlos verschwunden.

Jetzt wurde aus der Sorge Panik. Vor allem bei meiner Frau. Wir wussten, dass Valérie zwei Tage später nach Kalkutta fliegen wollte, um in einem Kinderkrankenhaus mitzuarbeiten, und dass ihr noch eine Impfung fehlte. Was war, wenn sie sich ausgerechnet an diesem Morgen im World Trade Center oder in dessen Nähe impfen lassen wollte?

Immer wieder wählten wir das Hotel an, aber niemand wusste, wo Valérie war. Langsam wurde es dunkel. Ich hatte nur einen Gedanken: „Bitte nicht Valérie, bitte nicht Valérie!" Plötzlich summte mein Handy. Auf dem Display erschien eine kurze SMS: „Valérie aufgetaucht. Alles okay!" Mir liefen die Tränen übers Gesicht. Und ich dachte an die vielen Amerikaner, die genau wie meine Frau und ich jetzt verzweifelt ihre Angehörigen suchten.

II.

Irgendwie spürten an diesem Tag unzählige Menschen, dass dieser mörderische Volltreffer ins Herz der Weltmacht USA zumindest im Westen mehrere Träume beendet hatte: den Traum, dass mit dem Ende des Ost-West-Konflikts der ewige Frieden angebrochen sei, den Traum vom niemals endenden, grenzenlosen Fortschritt und den Traum von der unverwundbaren Insel Amerika.

Zwar hatte es immer wieder schreckliche Anschläge gegen amerikanische Einrichtungen gegeben. 1998 wurden bei Terroranschlägen die amerikanischen Botschaften in Daressalam und Nairobi zerstört. Dabei verloren mehr als 200 Menschen ihr Leben, in erster Linie Afrikaner. Im Jahr 2000 starben bei einem Anschlag auf den Zerstörer „USS Cole" im Hafen von Aden 17 Amerikaner.

Die Anschläge am 11. September aber hatten eine völlig neue „Qualität" in der Brutalität und Genialität ihrer Ausführung und in der Bedeutung ihrer Ziele. Sie trafen mit dem Pentagon und dem World Trade Center die Symbole der militärischen und wirtschaftlichen Macht Amerikas. Die Vorbereitung und Ausführung dieser ebenso präzisen wie vernichtenden Schläge hatte – wie amerikanische Medien später ausrechneten – gerade einmal rund 700 000 Dollar gekostet.

Ich war ein gutes Dutzend Mal im Pentagon gewesen und hatte dort viele Stunden mit dem damaligen amerikanischen Verteidigungsminister Caspar Weinberger und seinem Staatssekretär Richard Perle verbracht. Nie hätte ich mir vorstellen können, dass eines Tages Terroristen einen Teil dieses Zentrums der militärischen Macht Amerikas in Schutt und Asche legen könnten. Und nie hätte ich es für möglich gehalten, dass es dem internationalen Terrorismus gelingen würde, gleichzeitig mit zwei dämonischen chirurgischen Schnitten die stolzesten Türme New Yorks aus dem Stadtbild Manhattans herauszuschneiden.

Wer war der Kopf hinter diesen diabolischen Schlägen? War es Bin Laden, wie die amerikanischen Medien sofort vermuteten? Dieser saudi-arabische Milliardärssohn, der – mit Unterbrechungen – seit Mitte der achtziger Jahre in den Bergen Afghanistans hauste und dort den heiligen Krieg gegen die Ungläubigen predigte? Konnte dieser Mann mit dem sanften Lächeln verantwortlich sein für die unvorstellbaren Qualen der im World Trade Center verbrannten und erschlagenen Menschen, für das unendliche Leid der Hinterbliebenen, für den unermesslichen Schmerz eines ganzen Volkes? Und wenn Bin Laden hinter den Anschlägen stand, was bedeutete das für sein Gastland Afghanistan? Ich versuchte Ordnung in meine Gedanken zu bringen, aber es gelang mir nicht.

Es war sehr spät, als ich nach Freiburg fuhr. Immer, wenn ich in Offenburg arbeite, übernachte ich dort bei meinem 96-jährigen Vater. Als ich ankam, war mein Vater schon schlafen gegangen. Ich stellte mein Gepäck im Flur seiner Mietwohnung ab und ging noch einmal hinaus in die frische Herbstluft. Ich konnte jetzt ohnehin nicht schlafen.

Langsam ging ich Richtung Dreisam, einem kleinen Fluss, der, wenn er nicht gerade ausgetrocknet ist, leise plätschernd durch Freiburg fließt. Ich fand einen Fußgängerweg entlang der Dreisam und marschierte los. Es war inzwischen recht kühl geworden. Ich schlug den Kragen hoch und versuchte, Klarheit in meinen Kopf zu bekommen: Wenn Bin Laden hinter den Anschlägen stand, würden die USA Afghanistan angreifen. Kein Amerikaner würde sich dafür interessieren, dass die USA ihre überragende

Weltmachtstellung auch dem 10-jährigen Kampf der Afghanen gegen die Sowjetunion verdankten, der deren Untergang eingeleitet hatte. Kein Deutscher würde sich daran erinnern, dass es ohne den afghanischen Sieg über die sowjetische Supermacht, der Millionen Afghanen das Leben gekostet hatte, keine Wiedervereinigung gegeben hätte.

Wenn Bin Laden, „der Alte vom Berge", hinter den feigen Morden von Manhattan stand, würde Afghanistan dafür büßen müssen. Die Anschläge waren so schrecklich, so mörderisch, dass niemand zwischen Bin Ladens al Qaida und Afghanistan differenzieren würde.

Zwar waren der Saudi-Arabier Bin Laden und die Afghanen wie Feuer und Wasser, aber wen würde das interessieren? Die Afghanen standen weltweit für Tapferkeit, sie hatten mit unglaublichem Mut erfolgreich gegen die größten Armeen der Welt gekämpft, gegen die Mongolen, die Engländer, die Sowjets. Der internationale Terrorismus aber stand und steht für Feigheit, er kämpft gegen unschuldige Zivilpersonen. Die Afghanen hatten das in ihrem Freiheitskampf nie getan.

Wenn Bin Laden hinter den Anschlägen stand, hatte er auch den Islam verraten. Der Islam ist eine sehr männliche, aber auch eine sehr menschliche und tolerante Religion. Mit Terrorismus hat er nichts zu tun. Mohammed selbst hat immer wieder vehement Gewalt gegen Unschuldige verurteilt. Kein Terrorist kann sich auf den Koran berufen, genauso wenig wie sich die IRA in Nordirland auf die Bibel berufen kann.

Aber wen würde das jetzt interessieren? Wer kannte schon Afghanistan? Wer wusste schon etwas von dem jahrzehntelangen Leid dieses kleinen geschundenen Landes? Die Politiker dieser Welt würden alles in einen Topf werfen.

Es wurde immer kühler. Die Dreisam glitzerte dunkel, ich hatte die Stadt längst hinter mir gelassen. Aber ich ging weiter. Die Bilder von New York, Washington und Afghanistan schossen in meinem Kopf wild durcheinander. Ich dachte zurück an meine erste Reise nach Afghanistan.

III.

Im Frühjahr 1980 war ich 14 Tage lang in einer alten Post-
kutsche durch meinen neuen Wahlkreis Tübingen-Hechingen gefahren, um mich möglichst vielen Menschen bekannt
zu machen. In jedem Dorf, in jeder Stadt hatte ich auf dem
Marktplatz oder am Rathaus kurz angehalten und ein paar
Worte an die Menschen gerichtet. Es war Vorwahlkampf.
Die heiße Phase des Wahlkampfes sollte erst im September
beginnen, wenn die Schulferien beendet und die Menschen
aus den Ferien zurückgekehrt waren.

Ich wollte im August trotzdem keinen Urlaub machen,
sondern als entwicklungspolitischer Sprecher der CDU/
CSU noch einmal eine Reise in ein Land der Dritten Welt
unternehmen. Die sowjetische Armee war Ende Dezember
1979, als sich die gesamte Führung der westlichen Welt in
den Weihnachtsferien befand, in Afghanistan einmarschiert.
Sie wollte der prosowjetischen kommunistischen Regierung
in Kabul zu Hilfe eilen und den Aufstand der muslimischen
Mudschaheddin niederschlagen. Der Westen hatte gegen
den Einmarsch zwar protestiert, aber im Grunde interessierte sich kaum jemand für Afghanistan und den dort be-
ginnenden Völkermord. Auch im Deutschen Bundestag
war das Thema schnell abgehakt. Ich wollte mithelfen, das
zu ändern.

Das war leichter gesagt als getan. Wie sollte ich nach Afghanistan kommen? Die sowjetischen Truppen hatten ganz
Afghanistan besetzt. Es gab keine klaren Fronten, im ganzen
Land herrschte Krieg. Und der wurde von den beiden un-
gleichen Seiten mit erbarmungsloser Härte geführt.

Schon im Frühjahr hatte ich mit dem „Verein für afghanische Flüchtlingshilfe" Kontakt aufgenommen. Ich musste

vorsichtig vorgehen, der Verein konnte von prosowjetischen Spitzeln unterwandert sein. Wenn die Sowjets von meinem Plan erfuhren, kam ich zwar lebend nach Afghanistan hinein, aber vielleicht nicht mehr lebend heraus. Die Sowjetunion war eine vor Selbstbewusstsein strotzende, waffenklirrende Supermacht, die sich nicht auf der Nase herumtanzen ließ.

Im Mai hatte ich mich mit dem Vertreter der Flüchtlingsorganisation Kajokan Niazi abends in einer kleinen Straße Bonns getroffen. Niazi war zwölf Jahre jünger als ich, ein kleiner, drahtiger Mann mit pechschwarzen, gewellten Haaren und funkelnden Augen. Er lächelte immer, was mich anfangs etwas nervös machte.

Nachdem wir lange über die Lage in Afghanistan diskutiert hatten, fragte ich ihn, ob er mich und einen Journalisten im August nach Afghanistan schleusen könne. Er meinte, das sei selbst für die Mudschaheddin mit Lebensgefahr verbunden, warum ich denn mein Leben riskieren wolle. Ich erklärte ihm meine Motive, und er versprach schließlich, Kontakt zu einer der großen Befreiungsbewegungen Afghanistans aufzunehmen, der Hezbi Islami Hekmatyars. Sie habe in der pakistanischen Grenzstadt Peshawar ihr Hauptquartier. Er versprach mir auch, vorsichtig vorzugehen. Wenn die Russen von der Sache erführen, würde keiner der an dem Kommando Beteiligten überleben.

Zwei Wochen später hatten wir uns wieder getroffen. Niazi war selbst in Peshawar gewesen. Er hatte gute Nachrichten. Hekmatyar war bereit, mich mit einer kleinen Gruppe ausgesuchter Freiheitskämpfer ins Landesinnere, in die Nähe von Dschalalabad bringen zu lassen. Wir müssten zu Fuß etwa sieben Tagesmärsche hin und sieben Tagesmärsche zurück rechnen. Ich war einverstanden. Es war Mai, und wir hatten genug Zeit, alles sorgfältig vorzubereiten.

Wichtig war, dass mein Plan nicht bekannt wurde. Ich informierte daher außer meiner Frau Françoise nur meine Mitarbeiter Egon Weimer und Albert Baumhauer. Aus der Fraktionsführung unterrichtete ich niemanden. Ich beschloss lediglich, dem damaligen Kanzlerkandidaten Franz Josef Strauß am Tag meiner Abreise einen Brief zukommen zu lassen, in dem ich ihn über alles informierte.

Mein Reisegefährte sollte Richard Schulze-Vorberg sein, ein freier Fotograf, der für die wichtigsten deutschen Zeitschriften und Zeitungen arbeitete, von *Stern*, *Spiegel*, *BUNTE* bis zu *BILD*. Schulze-Vorberg war etwa zehn Jahre jünger als ich, groß und hager. Sein sehr schlankes Gesicht wurde von einer feinen, leicht geschwungenen Nase geprägt. Obwohl er nicht den gängigen Schönheitsidealen entsprach, war er mit seiner sympathischen, offenen Art, seinem fröhlichen, spitzbübischen Lachen der Liebling aller Frauen. In ihn hatte ich unbegrenztes Vertrauen. Er war ein wunderbarer Fotograf und charakterlich ein feiner Kerl.

Während ich in Tübingen-Hechingen weiter Vorwahlkampf machte, bereitete ich mich auf die schwierigste Reise meines Lebens vor. Wenn irgendetwas schief ging, musste ich mit heftiger Kritik der Fraktionsführung rechnen. Es durfte einfach nichts schief gehen.

Am Vorabend unseres Abflugs hatte ich eine politische Veranstaltung in München. Franz-Georg Strauß, der jüngste Sohn des bayerischen Ministerpräsidenten, hatte mich gebeten, in seinem Kreisverband zu sprechen. Nach der Veranstaltung gab ich ihm einen Brief an seinen Vater, in dem ich alles erklärte. Franz-Georg Strauß sollte den Brief, dessen Inhalt er nicht kannte, erst am nächsten Abend übergeben, wenn ich schon im Flugzeug saß. So wollte ich sicherstellen, dass niemand der Unionsführung vorwerfen konnte, sie habe die Reise verhindern können.

Franz-Georg versprach, sich genau an unsere Absprache zu halten.

Am nächsten Morgen saßen Richard Schulze-Vorberg und ich in einer alten, klapprigen Maschine der Pakistan International Airlines. Unsre Reiseroute lautete: Frankfurt, Islamabad, Peshawar. Ich flog unter meinem richtigen Namen. Das war nicht ungefährlich. Es war nicht auszuschließen, dass der sowjetische Geheimdienst die Passagierlisten der Flüge nach Peshawar überprüfte, da dort die meisten afghanischen Befreiungsbewegungen ihren Sitz hatten.

Als wir nach langem Flug in Peshawar landeten, waren wir wie gerädert. Am Flughafen nahm uns Dr. Nassery, leitender Arzt des Vereins für afghanische Flüchtlingshilfe, in Empfang. Er führte uns sofort aus dem Gewühl der Wartehalle hinaus und mahnte zur Eile. „Wir müssen schnell raus. Sie müssen damit rechnen, dass Sie überwacht werden", raunte er uns zu.

Nassery war mittelgroß, etwa 45 Jahre alt und hatte feine, sehr freundliche Gesichtszüge. Die kurzen grauen Haare waren sorgfältig zur Seite gescheitelt. Obwohl Nassery afghanisch gekleidet war, wirkte er westlich. Er sprach gutes Englisch. Geschickt steuerte er uns zu seinem Jeep. Sein Fahrer lud unser Gepäck auf und fuhr mit hoher Geschwindigkeit los. Nachdem er den Wagen einige Kilometer durch den chaotischen Verkehr und das ohrenbetäubende Gehupe Peshawars gesteuert hatte, befahl ihm Nassery plötzlich umzudrehen und in die andere Richtung zu fahren.

Während der Fahrer wendete, schaute Nassery immer wieder prüfend aus dem Fenster. Nach einer Weile sagte er leicht verärgert: „Sie haben uns, da schauen Sie!" Er deutete auf drei graublaue Autos, die ebenfalls wendeten und unsere Verfolgung wieder aufnahmen. „Das ist der pakistanische Geheimdienst. Die wollen herausbekommen, was

Sie hier wollen. Aber die sind nicht gefährlich. Die anderen sind gefährlicher." Mit „den anderen" meinte er den sowjetischen Geheimdienst. Wenn es für die Pakistanis schon nicht schwer war, sich an unsere Fersen zu heften, war es für die Profis des KGB erst recht ein Kinderspiel. Ab jetzt mussten wir noch vorsichtiger sein.

Nassery brachte uns in ein modernes, europäisch wirkendes Hotel mit großem Garten und riesigem Swimmingpool. „In zwei Stunden komme ich wieder, um Sie zu Hekmatyar zu bringen", sagte er mit seiner sanften Stimme. Ich glaube, er konnte gar nicht laut sprechen.

Auf die Minute zwei Stunden später stand Nassery wieder in der Tür, um uns abzuholen. Wir fuhren in demselben alten Jeep wie vorher. Nassery meinte: „Es macht nichts, wenn die Pakistani sehen, dass wir zu Hekmatyar fahren. Das bekommen sie sowieso heraus." Dann arbeitete sich der Jeep wieder durch das bunte Gewühl der Straßen Peshawars. Ochsenkarren, Rikschas, uralte amerikanische, deutsche, französische Autos, bunt bemalte, mit Chrom und kleinen Spiegeln verzierte Busse versuchten, auf den schlechten Straßen hupend vorwärts zu kommen und sich gegenseitig zu überholen. Immer wieder gab es bedrohlich wirkende Situationen, immer wieder musste unser Fahrer scharf bremsen oder ruckartig ausweichen, aber das schien ihn und Nassery überhaupt nicht zu beunruhigen. Wahrscheinlich kannten sie es nicht anders.

Irgendwann bog der Jeep von der Hauptstraße ab. Nun ging es durch immer engere und verwinkeltere Straßen und Gassen, bis wir zu einer besonders schmalen, durch zwei bewaffnete Männer abgesperrten Gasse kamen. Die etwa dreißig Jahre alten Männer trugen afghanische Paschtunen-Tracht, beige Pluderhosen und ein langes, bis auf die Knie fallendes beiges Hemd sowie eine mit Patronen vollgestopfte grüne Weste. Auf dem Kopf trugen sie die afghanische Pakol, eine flache, braune Filzmütze. Beide hatten schwarze Vollbärte und waren bis an die Zähne bewaffnet. Mit entsicherter Kalaschnikow kamen sie langsam auf den Jeep zu. Nassery rief ihnen ein paar Sätze auf Paschto zu, sie kontrollierten kurz den Wagen, dann ließen sie uns, ohne eine Miene zu verziehen, durch.

Dreißig Meter weiter vor einem großen grauen Gebäude stand die nächste Wachmannschaft, diesmal bestand sie aus fünf schwer bewaffneten Leibwächtern. Wieder wechselte Nassery einige Sätze auf Paschto, dann brachte uns der Kräftigste von ihnen, der offenbar ihr Anführer war, durch enge Gänge und eine schmale Treppe in das Innere des Hauses. In einer Art Wartezimmer bat er uns Platz zu nehmen. Dann entschwand er durch eine kleine Tür.

Ein halbes Dutzend Afghanen unterschiedlichsten Alters standen und saßen in dem schmalen Warteraum herum, meditierend, betend oder schlafend. Sie wollten offenbar alle Hekmatyar sprechen. Erst nach einer halben Stunde kam der Sicherheitsposten, der uns hereingeführt hatte, zurück. Wahrscheinlich hatte er Hekmatyar erst einmal eine Beschreibung der zwei seltsamen westlichen Gäste geben müssen.

Hekmatyar, den seine Männer mit „Ingenieur" ansprachen, obwohl er sein begonnenes Ingenieurstudium nie beendet hatte, war höchstens 35 Jahre alt, mittelgroß, schlank und feingliedrig. Auch er trug Paschtunentracht. Trotz seines finsteren, schwarzen Vollbarts wirkte er recht freundlich. Ich hatte mir den Chef der radikal islamischen Hezbi Islami ganz anders vorgestellt. Damals ahnte ich nicht, dass dieser stille, fast schüchterne Freiheitskämpfer zehn Jahre später, nach der Vertreibung der Sowjets, in den Wirren des Bürgerkrieges zu einem der blutigsten Guerillaführer mutieren würde.

Hekmatyar berichtete ruhig und ausführlich über die militärische Lage in Afghanistan. Die Russen hätten zwar das ganze Land besetzt, beherrschten militärisch aber nur noch die Städte. Die ländlichen Gebiete stünden voll unter der militärischen Kontrolle der Mudschaheddin. Das einzige militärische Problem auf dem Land seien die sowjetischen Hubschrauber, die „gepanzerten Hunde", da der Westen sich weigere, den Mudschaheddin Flugabwehrwaffen zur Verfügung zu stellen. Auch in den Städten stünden trotz der militärischen Präsenz der sowjetischen Truppen 95 Prozent der Bevölkerung auf der Seite der Aufständischen.

Hekmatyar zeigte uns auf einer alten Landkarte den Weg, auf dem uns seine Leute nach Afghanistan bringen wollten. Wir mussten etwa 80 Kilometer westlich von Tora Bora über die „White Mountains" des Hindukusch. Dann sollten wir entlang des „Red River" Richtung Dschalalabad marschieren. Das Risiko des Marsches schätze er als vertretbar ein. Die einzige Gefahr sei, dass uns sowjetische Hubschrauber bombardierten, oder dass wir in einen Hinterhalt gerieten. Um das zu vermeiden, wollte er uns sechs seiner besten Mudschaheddin mitgeben.

Schulze-Vorberg war bei dem Hinweis auf den möglichen Hubschrauberbeschuss und etwaige Hinterhalte leicht zusammengezuckt, sagte aber kein Wort. Auch ich gab mir Mühe, mir keinerlei Sorge anmerken zu lassen. Ich wollte nicht, dass Hekmatyar das Unternehmen im letzten Augenblick absagte.

Hekmatyar sah uns prüfend an. Dann sagte er: „Ich schlage vor, dass Sie morgen früh im ersten Morgengrauen aufbrechen, bevor sich alle Geheimdienste dieser Welt an Ihre Fersen heften." Schulze-Vorberg und ich sahen uns überrascht an. Wir hatten gedacht, dass wir erst in einigen Tagen aufbrechen würden, aber das Argument Hekmatyars leuchtete uns ein. Wir stimmten sofort zu.

Dann erklärte der große, kräftige Mann, der uns reingebracht hatte und der offenbar Hekmatyars Sicherheitchef war, Nassery auf Paschto, wo wir uns am nächsten Tag treffen sollten. Hekmatyar verabschiedete sich leise und fast etwas verlegen von uns. „Gott schütze Sie", lächelte er.

Am nächsten Morgen stand ich um 4.00 Uhr auf. Kurz darauf stand Nassery in meiner Tür. Er hatte afghanische Landeskleidung mitgebracht, für mich eine beige Pluderhose und ein langes beiges Hemd, für Schulze-Vorberg das Gleiche in Hellgrün. Schnell zogen wir die Sachen an. „Kommen Sie, wir müssen los. Ich habe Ihnen Kaffee mitgebracht. Wir frühstücken im Auto." Wenige Minuten später saßen wir in seinem Jeep. Die Straßen waren leer, und Nassery stellte zufrieden fest, dass uns niemand folgte. „Keiner kann sich hier vorstellen, dass ein deutscher Politiker schon um 4.00 Uhr früh aufsteht", sagte er lachend.

Wir kamen schnell aus Peshawar heraus. Zwei Stunden ging es über kleine Landstraßen und schließlich über immer unwegsameres Gelände Richtung Hindukusch. In der Nähe eines kleinen Dorfes hielt Nasserys Fahrer an. Wir warteten einige Minuten, bis plötzlich ein weiterer Jeep angebraust kam und mit quietschenden Reifen wenige Meter vor uns hielt. Nassery ging auf den Wagen zu, der für einige Augenblicke fast völlig in seiner Staubwolke verschwunden war, und redete lange mit den Insassen. Dann kam er zu uns zurück und sagte lächelnd: „Das ist Ihr Begleitkommando. Es geht los."

Fünf schwer bewaffnete Mudschaheddin und ein afghanischer Dolmetscher kletterten aus dem anderen Jeep. Sie waren alle sehr jung, ich schätzte die meisten auf Anfang zwanzig. Lediglich ihr Anführer Ahmed, der mit seinen langen Haaren aussah wie ein südländischer Hippie, schien ein bisschen älter zu sein. Aber auch er war höchstens dreißig. Nassery sah, dass ich stutzte, und meinte: „Gehen Sie davon aus, dass Ihnen Hekmatyar seine besten Leute gegeben hat. Und Abdul, Ihr Dolmetscher, spricht vorzüglich Deutsch und Paschto."

Obwohl es erst 8.00 Uhr war, war es schon recht heiß. Vor uns lagen die „White Mountains", die riesigen Berge des Hindukusch. Und vor uns lag das von der größten Armee der Welt besetzte Afghanistan.

Langsam gingen wir los. Drei Mudschaheddin marschierten voraus, zwei sicherten unsere kleine Gruppe nach hinten ab. Es ging sofort steil aufwärts. Nach etwa anderthalb Stunden gab Nassery auf einem kleinen Plateau das Zeichen anzuhalten. Er wollte sich verabschieden. Nassery und die Mudschaheddin knieten nieder und sprachen ein langes Gebet. Dann nahm Nassery Schulze-Vorberg und mich nacheinander lange in die Arme und wünschte uns viel Glück: „Morgen sind Sie in Afghanistan. Grüßen Sie meine Heimat!" Als Tränen über sein Gesicht liefen, drehte er sich um.

Wir gingen mit langsamen Schritten weiter den Berg hoch. Der Anstieg wurde immer steiler, die Hitze immer drückender, unsere Schritte immer schwerer. Ich hatte nicht viel Gepäck, aber Schulze-Vorberg hatte seine gesamte Fotoausrüstung dabei. Unserem Begleitkommando wollten wir nichts davon zu tragen geben, denn die Männer hatten nicht nur ihre Maschinenpistolen und Ersatzmunition, sondern auch Medikamente und zahlreiche andere Gegenstände zu tragen, die im Landesinnern von den Mudschaheddin dringend benötigt wurden.

Gegen Nachmittag waren wir am Ende unserer Kräfte. Es fiel immer schwerer, einen Fuß vor den anderen zu setzen. Ein Ende des Anstiegs war noch lange nicht in Sicht. Das Schlimmste war: Es ging ohne flache Passagen unentwegt steil nach oben. Ich hätte mich am liebsten mitten in die Geröllwüste gelegt, um zu schlafen. Auch Schulze-Vorberg blieb immer wieder minutenlang stehen und sagte leise zu mir: „Ich kann einfach nicht mehr." Sein Gesicht war noch tiefer eingefallen als sonst. Immer wieder wischte er sich mit einem Tuch, das er um die Schulter trug, den Schweiß aus dem Gesicht. Wir hatten noch den Jetlag in den Beinen und wollten gerade einmal so nebenbei den Hindukusch, eines der höchsten asiatischen Gebirge, überqueren.

Je müder ich wurde, desto größer wurden auch meine Zweifel am Sinn unseres Unternehmens. Gerade war ich trotz meines heftigen Konfliktes mit dem damaligen Parteivorsitzenden der CDU Helmut Kohl und entsprechenden Sperrfeuers aus Bonn zum Kandidaten des Wahlkreises Tübingen-Hechingen gewählt worden, da setzte ich schon wieder alles aufs Spiel. Ich hatte lange dafür gekämpft, aufgestellt zu werden. Wenn die sowjetische Armee mich erwischte, oder wenn ich verletzt wurde, fand die Bundestagswahl im Oktober ohne mich statt. Selbst im Falle eines erfolgreichen Afghanistanbesuchs musste ich damit rechnen, dass man mich in Bonn endgültig für völlig verrückt hielt. In den Augen der maßgeblichen Bonner Politiker durfte man alles riskieren, nur nicht die eigene Karriere und schon gar nicht das eigene Leben. Das war für sie kein Heldentum, das war Dummheit.

Und war es das nicht tatsächlich? Was würde aus Françoise, wenn mir etwas passierte? Je schwieriger der Anstieg wurde, desto größer wurden meine Zweifel.

Aber wie immer in solchen Situationen größter physischer und psychischer Erschöpfung, großer Zweifel und großer Widerstände gab es auch eine Stimme in mir, die immer wieder sagte: „Nicht aufgeben, nie aufgeben!" Und so stapfte ich weiter und weiter, schweigend und Ströme von Schweiß vergießend.

Als die Sonne unterging, hatten wir das Schwierigste geschafft. Schulze-Vorberg und ich setzten uns auf den steinigen Boden und rührten uns eine halbe Stunde nicht mehr. Dann kam der Anführer unseres Kommandos, der aussah wie ein südländischer Hippie, aber Ahmed hieß, und sagte leise in holprigem Englisch, wir müssten weiter. Wir hätten noch etwa vier Stunden zu laufen, bevor wir Rast machen könnten. Dann werde es auch etwas zu essen geben.

Uns blieb nichts anderes übrig, wir mussten weiter, obwohl wir unsere Beine schon nicht mehr spürten. Glücklicherweise ging es nicht mehr bergauf. Trotzdem liefen wir die nächsten Stunden wie in Trance.

Irgendwo stießen wir auf den Red River, einen kleinen, ziemlich ausgetrockneten Gebirgsbach. Von nun an kamen uns immer wieder kleinere und größere Gruppen bunt gekleideter Flüchtlinge entgegen, die versuchten, sich nach Pakistan durchzuschlagen. Manche hatten Mulis dabei, denen sie ihren Hausrat, ihre alte Mutter oder ihren alten Vater aufgeladen hatten. Andere trugen ihren Vater, ihre Mutter oder ihre gesamte Habe selber auf dem Rücken. Die Mulis trugen alle mindestens 200 Kilo, aber auch die Männer schleppten häufig 70, 80 Kilo stoisch schweigend den Berg hinauf. Zwei Männer transportierten auf einem Holzbett ihren uralten, gebrechlichen Vater durch die kargen Berge. Wir begegneten Hunderten solcher Flüchtlinge, die versuchten, dem Hunger und dem Inferno sowjetischer Bombenangriffe zu entkommen.

Gegen 3.00 Uhr nachts, Schulze-Vorberg und ich waren längst zu müde, um sagen zu können, wie müde wir waren, hielt Ahmed an einer besonders breiten und besonders trockenen Stelle des Flussbetts des Red River an. Er breitete eine Wolldecke aus, legte einige Brotfladen darauf und stellte einen Topf mit einer Art Lammgulasch dazu. Dann schenkte er Tee in kleine Gläser. Woher er all die Sachen gezaubert hatte, und wie er es geschafft hatte, uns ein warmes Mahl zu servieren, weiß ich bis heute nicht. Ausgehungert und erschöpft stürzten wir uns auf die Speisen.

In der Zwischenzeit machten Ahmed und die vier anderen Mudschaheddin direkt neben uns ein Feuer. Es war sehr kalt geworden. Das lodernde Feuer wärmte kaum, aber wir wollten nicht zu nah an die Flammen heran. In der Nähe übernachteten mehrere Flüchtlingsgruppen. Ihre Lagerfeuer leuchteten fast das ganze Tal aus. Es sah sehr romantisch aus. Dann fiel ich in einen tiefen Schlaf.

Der Schlaf konnte nicht lange gedauert haben, denn es war noch nicht ganz hell, als Ahmed uns wieder weckte. Wir mussten weiter. Ahmed reichte uns ein Glas Tee, ließ uns in Ruhe trinken, dann trieb er zur Eile. Wieder marschierten wir etwa sechs Stunden lang. Das Tal wurde immer weiter, und gegen Mittag lag der Hindukusch hinter uns.

Wir gingen über weite unbestellte Felder, vorbei an zerstörten Häusern, an ausgebrannten, leblosen Dörfern. Die sowjetische Führung hatte nach ihrem Einmarsch in Afghanistan behauptet, sie sei mit Jubel empfangen worden. Aber hier hatte sicher niemand gejubelt. Hier waren die Menschen gestorben oder geflohen.

Wir kamen an mehreren zerstörten sowjetischen Schützenpanzern vorbei. Ahmed bat mich, mich mit einer Kalaschnikow vor einem der Schützenpanzer fotografieren zu lassen. Aber ich lehnte ab. Ich erklärte ihm durch Abdul, unseren Dolmetscher, dass ich – solange es nicht wirklich notwendig sei – keine Waffe in die Hand nehmen würde.

Ich sah, dass Ahmed mich nicht verstand. Wie sollte er auch? Er hatte bei den Angriffen der sowjetischen Armee vor acht Monaten seine Eltern, seine zwei Schwestern und seine drei Brüder verloren. Das Haus seiner Eltern war dem Erdboden gleichgemacht worden. Ahmed hatte alles verloren.

Trotzdem schien er in einem tieferen Sinne glücklich zu sein. Er erzählte mir mit Hilfe von Abdul in seiner gelassenen Art, dass er zwar viel verloren, aber auch viel gefunden habe. Er habe seinen Glauben an Gott wiederentdeckt, und er habe in seinem Leben endlich ein Ziel gefunden. Er wolle mithelfen, sein Land zu befreien. Und er habe noch etwas erkannt, lächelte er. Er habe herausgefunden, dass man eigentlich fast nichts brauche, um glücklich zu sein.

Wir marschierten den ganzen Tag und den ganzen Abend durch das öde, karstige Land. Schulze-Vorberg und ich waren längst jenseits aller toten Punkte. Ahmed versprach uns, vor Mitternacht wären wir im Lager. Dort werde es etwas Richtiges zu essen geben. Wir müssten leider einen Umweg machen, um nicht in das Gebiet einer konkurrierenden Mudschaheddin-Gruppe zu geraten. Das sei nachts nicht ganz ungefährlich.

So liefen wir weiter über die verlassenen Felder Afghanistans. Wir träumten von einem guten Abendessen und einem langen köstlichen Schlaf, als urplötzlich, fünf Meter vor uns, aus einem Feldgraben zehn schwer bewaffnete Männer heraussprangen, ihre Kalaschnikows entsicherten und auf uns richteten. Ihr Anführer brüllte irgendetwas auf Paschto. Ahmed brüllte heiser zurück, während wir und unser Begleitkommando wie erstarrt stehen blieben. Wir wussten, unser Leben hing an einem seidenen Faden.

Die Spannung, die in der Luft lag, war fast unerträglich. Der Ton des Anführers der zehn Männer wurde immer aggressiver, Ahmed versuchte, ihn zu beruhigen und zu erklären, wer wir waren. Wir waren nun doch in das Gebiet einer anderen Freiheitsbewegung geraten, deren Anführer Ahmed offenbar kein Wort glaubte und Schulze-Vorberg und mich für russische Agenten hielt.

Mit unglaublicher Geduld redete Ahmed auf sein Gegenüber ein. Jedes falsche Wort konnte unser Ende sein. Plötzlich hatte Ahmed die rettende Idee: „Zeigen Sie ihm Ihre Fotoapparate", sagte er leise zu Schulze-Vorberg. Schulze-Vorberg, der genauso wie ich zur Salzsäule erstarrt war, wurde grantig. Alles würde er hergeben, nur nicht seine Fotoapparate. Mürrisch öffnete er seine große Fototasche und ließ den Anführer der anderen Gruppe hineinsehen. Misstrauisch, die Kalaschnikow am Hals Schulze-Vorbergs, untersuchte dieser den Inhalt. Dann rief er seinen Leuten etwas zu, und endlich ließen diese die Läufe ihrer Kalaschnikows sinken. Uns fielen kiloschwere Steine vom Herzen. Wir durften weiter.

Ahmed sagte dem Anführer der anderen Gruppe noch einige ernste, nicht sehr freundliche Worte, und dieser gab eine mindestens genauso ungehaltene Antwort zurück. Dann war die gespenstische Szene vorüber. Wir brauchten lange, um den Schrecken zu verarbeiten. Wir wussten, wie gefährlich unsere Lage gewesen war. Dass sich rivalisierende Freiheitskämpfergruppen gegenseitig absichtlich oder unabsichtlich erschossen, war keine Seltenheit. Vor allem nachts war die Gefahr von Kurzschlusshandlungen groß. Es war nie ganz auszuschließen, dass jemand nach dem Motto vorging: Lieber erschießen als erschossen werden. Ein falsches Wort hätte die Katastrophe auslösen können.

Zwei Stunden später kamen wir völlig erschöpft an unserem ersten Ziel in Afghanistan, einem Lager der Mudschaheddin, an. Die Mudschaheddin empfingen uns mit großer

Selbstverständlichkeit. Sie hatten uns erwartet, da Hekmatyar einen Kurier vorausgeschickt hatte. Das Lager bestand aus einem allein stehenden, halb zerstörten Bauernhaus und einem Garten mit großen, dichten Bäumen. Die umliegenden Felder waren, wie wir allerdings erst am nächsten Tag feststellen konnten, unbestellt.

Obwohl es nirgendwo Licht gab, konnten wir die markanten, kantigen Gesichter der rund 20 Mudschaheddin im Dunkeln gut erkennen. Einige der Männer verschwanden zu einer kleinen Kochstelle im Inneren des Hauses, um das Essen vorzubereiten. Schulze-Vorberg und ich überlegten uns, was schlimmer war, unser Hunger oder unsere Müdigkeit. Wir beschlossen, erst etwas zu essen und dann endlich einmal richtig zu schlafen.

Während wir über den abgelaufenen Tag sprachen, hörten wir, wie die Mudschaheddin auf einem kleinen Platz hinter uns zu beten begannen. Es war ein malerisches Bild: Die Mudschaheddin knieten im fahlen Mondlicht des Gartens. Völlig in sich versunken, entrückt, fast wie in Trance verneigten sie sich vor Gott. Ich wäre am liebsten zu ihnen gegangen und hätte mitgebetet. Aber ich wusste nicht, ob das ihre religiösen Gefühle verletzen würde, und blieb sitzen.

Nach dem Gebet setzten wir uns alle im Kreis um eine alte Decke, auf der die Mudschaheddin ihre Speisen ausgebreitet hatten, und begannen zu essen. Es gab wieder Lamm. Vier große Schalen des köstlichen Gerichts standen in der Mitte. Wir nahmen von dem Fladenbrot, das daneben lag, tunkten es in die Schale und nahmen mit dem Brot das Fleisch heraus. Es schmeckte großartig.

Nach dem Essen bekamen Schulze-Vorberg und ich die beiden einzigen, mit Schnüren bespannten Bettgestelle des Lagers. Ich lag noch nicht richtig, da fiel ich schon in einen tiefen, traumlosen Schlaf.

Als ich morgens aufwachte, war es schon 9.00 Uhr. Nach dem Frühstück – es bestand wieder aus Tee und Fladenbrot – inspizierten Schulze-Vorberg und ich erst einmal das Lager. Es war ein Durchgangslager der Mudschaheddin auf dem Weg nach Dschalalabad und in die Kampfgebiete. Die meisten Mudschaheddin blieben hier nur wenige Tage.

Ein Freiheitskämpfer allerdings war offenbar schon länger hier. Er lag Tag und Nacht in einer Hängematte unter einem schattigen Baum. Er hatte einen Beinschuss abbekommen, die Wunde war stark entzündet. Der Kommandant des Lagers hatte ihm die Kugel ohne Betäubung mit einem Messer herausgeschnitten. Betäubungsmittel und Medikamente waren in Afghanistan Mangelware. Die medizinische Versorgung war längst zusammengebrochen. Die westlichen Hilfsorganisationen versorgten zwar die Flüchtlingslager Pakistans und Irans. Für das Landesinnere Afghanistans und die Mudschaheddin gab es jedoch kaum Medikamente.

Mittags marschierten wir los, um ein von Bomben zerstörtes Dorf zu besichtigen, das „nur" zwei Stunden Fußmarsch entfernt war. Überall wehten uns weiße Stoffwimpel entgegen. Jeder der zahllosen Wimpel stand für den Tod eines Afghanen. Als wir in dem Dorf ankamen, bot sich uns ein gespenstischer Anblick. Von den etwa 30 Häusern des kleinen Dorfes stand kein einziges mehr. Alles war ausgebombt. Schweigend gingen wir durch die zerstörten Häuser, sahen die Bombenkrater, fanden immer wieder Puppen und Kinderspielzeug. Die Luft flimmerte, es roch nach getrocknetem Blut, nach Verwesung.

Schulze-Vorberg fotografierte und fotografierte. Die Mudschaheddin erzählten uns die Geschichte des Dorfes und der Menschen, die hier vor kurzem gestorben waren. Wer die Bombardierung überlebt hatte, war geflohen und lebte nun in einem der Flüchtlingslager Peshawars.

Gegen vier Uhr nachmittags waren wir wieder im Lager. Die Mudschaheddin reinigten ihre Gewehre, Schulze-Vorberg seine Kameras, und ich machte mir Notizen. Plötzlich hörten wir in der Ferne Motorenlärm. Die Mudschaheddin legten ihre Gewehre zur Seite und lauschten angestrengt. Einer rief etwas, was so ähnlich klang wie „Helikopter". In Windeseile rannten alle auf die Feldgräben zu, die das Haus umgaben. Blitzschnell waren sie verschwunden.

Ahmed packte mich am Ärmel und rannte mit mir los. Atemlos kletterten wir in einen tiefen Feldgraben hinter dem Garten. Nur der verwundete Freiheitskämpfer in der Hängematte blieb im Lager zurück. Dann sahen wir einen Hubschrauber in großer Höhe über das Lager fliegen. Er hatte uns nicht entdeckt und verschwand wenige Minuten später in der Ferne.

Langsam kehrten die Männer in das Lager zurück. „Sie bombardieren alle Gebäude, in denen sie Mudschaheddin vermuten. Sie greifen unsere Lager fast jeden Tag mit ihren Helikoptern an. Wir beherrschen das Land, aber sie die Luft", erklärte mir der Lagerkommandant. Als ich ihn nach dem verwundeten Mudschahed fragte, meinte er resignierend: „Er muss noch sechs Wochen hier bleiben. Wenn das Lager so lange nicht bombardiert wird, wird er überleben, sonst nicht. Seine Chancen davonzukommen liegen bei 50 Prozent. Er kennt seine Lage."

Die nächsten Tage benutzten wir zu weiteren Erkundungsmärschen in die umliegenden Dörfer. Überall bot sich uns das gleiche Bild – zerstörte Häuser, wohin man schaute. Das Land sah aus wie ein ausgebombter Wüstenplanet. Und überall flatterten kleine, weiße Stoffwimpel.

Ich fragte Ahmed und den Lagerkommandanten, ob sie uns zusammen mit einigen Mudschaheddin in das von der sowjetischen Armee besetzte Dschalalabad schleusen könnten. Wir hätten uns gerne einen Eindruck über das Leben in einer besetzten Stadt verschafft. Ahmed lachte: „Das können wir, wenn ihr bereit seid, eine Kalaschnikow zu tragen und notfalls auch zu schießen. Sonst ist das Risiko für alle zu groß.“

Es war klar, dass ich keine Waffe in die Hand nehmen und auf Russen schießen würde, nur um nach Dschalalabad zu kommen. Schulze-Vorberg dachte genauso. Wir waren nicht Mitglieder einer Befreiungsbewegung, wir waren Beobachter. Aber ich verstand auch Ahmed sehr gut. Er wollte nicht das Leben seiner Leute riskieren, nur damit wir unsere hehren Grundsätze durchhalten konnten.

IV.

Wir waren nun schon zehn Tage in Afghanistan, langsam wurde es Zeit für die Rückkehr. Wir hatten uns einen Eindruck vom Krieg in Afghanistan und von der Lage im Land verschaffen wollen, und dieses Ziel hatten wir erreicht. Wir beschlossen, nach Peshawar zurückzukehren. Für den Rückweg waren diesmal drei Tagesmärsche vorgesehen. Die Mudschaheddin hatten einen etwas längeren, aber weniger steilen Weg ausgewählt und auf kühne Bergtouren verzichtet.

Morgens früh um sechs Uhr ging es los. Kilometer um Kilometer liefen wir wieder über steiniges Wüstengelände. Wir hatten gelernt, Kräfte schonender zu gehen. Trotzdem war auch der Rückmarsch eine große Strapaze. Die Sonne brannte unerbittlich auf uns herab. Nur alle fünf bis zehn Kilometer spendete eine kleine Baumgruppe Schatten. Als wir gerade wieder einmal dankbar unter einer Baumgruppe Rast machten, hörten wir erneut dieses schreckliche Hubschraubergeräusch. Der Hubschrauber kam immer näher. Er nahm erkennbar Kurs auf uns. Unter dem größten Baum befand sich eine Erdhöhle, die sich die Mudschaheddin irgendwann für derartige Situationen gegraben hatten. Schulze-Vorberg und die Mudschaheddin kletterten bemerkenswert flink in die Höhle.

Ich wollte mich noch nicht in der Höhle verkriechen, sondern den Hubschrauber genauer unter die Lupe nehmen und ihn vor allem filmen. Der Helikopter kam immer näher. Schulze-Vorberg und Ahmed brüllten, ich solle endlich in die Höhle klettern. Als der Hubschrauber genau über uns war, bat ich Schulze-Vorberg um seine kleine Schmalbildkamera und begann durch eine große lichte Stelle zwischen den Bäumen zu filmen.

Der Hubschrauber war höchstens 30 Meter über uns. Der Kopf des Piloten war deutlich erkennbar. Ich war sicher, er sah mich auch. Ich war in meinem Leben häufig Hubschrauber geflogen. Ich wusste, dass man aus 30 Metern Höhe jede Handbewegung erkennen konnte.

Der Helikopter kam immer tiefer. Er war jetzt höchstens noch 20 Meter über dem Boden. Nun wurde auch mir mulmig. Ich ließ mich durch die etwa 60 cm breite Öffnung der Erdhöhle nach unten fallen. Schulze-Vorberg filmte aus der Höhle weiter.

Der Hubschrauber kreiste und kreiste über uns. Die Sekunden kamen uns wie eine Ewigkeit vor. Ahmed flüsterte: „Wenn er aus dieser Höhe eine Rakete abfeuert, haben wir keine Chance." Plötzlich drehte der Helikopter ab. Wir warteten und warteten. Dann kletterten wir zögernd aus der Höhle heraus und schauten uns vorsichtig um.

Wir wollten gerade losmarschieren, als der Hubschrauber zurückkam, diesmal in Begleitung eines zweiten Helikopters, der etwa hundert Meter über ihm flog. Schnell ließen wir uns wieder in die Höhle fallen. Beide Helikopter begannen nun über uns zu kreisen. Schulze-Vorberg hielt seine Kamera aus dem Erdloch und filmte. Wieder begann eine Ewigkeit des Wartens. Wir wussten, wir waren entdeckt, aber wir konnten nichts tun, außer beten und warten.

Doch plötzlich drehte der niedriger fliegende Helikopter erneut ab, der andere folgte ihm. Wir warteten, bis beide Hubschrauber nicht mehr zu hören waren. Wir wollten gerade wieder aus der Höhle steigen, als wir hinter uns eine gewaltige Detonation hörten und Rauchwolken aufsteigen sahen. Die Hubschrauber hatten eine Baumgruppe, an der wir eine knappe Stunde vorher vorbeigekommen waren, mit ihren Raketen bombardiert und wie uns Freiheitskämpfer später berichteten, dem Erdboden gleichgemacht.

Kreidebleich kletterten wir aus unserem Unterstand. Warum hatte der junge russische Pilot nicht die Baumgruppe bombardiert, unter der wir uns befanden, und stattdessen einen verlassenen, menschenleeren Unterstand? Es war doch offensichtlich, dass er uns gesehen hatte. War es ein Irrtum, oder war es Absicht, dass er uns nicht in die Luft gesprengt hatte?

Heute glaube ich, dass der junge russische Pilot einfach nicht töten wollte, dass er genug hatte von diesem unsinnigen Krieg – weil junge Russen auch nicht anders sind als junge Deutsche. Weil es unter den jungen Russen mindestens genauso viele anständige Kerle gab und gibt wie unter jungen Deutschen. Und weil das Verbrecherische des Afghanistankrieges nicht das Verhalten der russischen Soldaten, sondern der Befehl einiger Wahnsinniger war, Afghanistan anzugreifen. Mit weichen Knien marschierten wir weiter.

Nach drei Tagen schwerer Fußmärsche in unvorstellbarer Hitze über steiniges, wüstenartiges Gelände waren wir endlich wieder in Pakistan. Ich kann das Gefühl der Erleichterung gar nicht beschreiben, das uns befiel, als Ahmed uns sagte, wir hätten es geschafft. Das verrückteste und gefährlichste Abenteuer unseres Lebens lag hinter uns. Wir waren völlig erschöpft. Ich hatte in zwei Wochen sieben Kilo abgenommen, Blutblasen an beiden Füßen und war am ganzen Körper von Flöhen zerstochen. Wie Schulze-Vorberg war ich fertig, einfach fertig.

Wir verabschiedeten uns von unserem Begleitkommando. Besonders Ahmed nahm ich lange in die Arme. „Wir vergessen euch nicht", sagte ich ihm. Dann stiegen wir in unseren Jeep. Wenige Stunden später waren wir in unserem Hotel in Peshawar. Ich genoss das schönste Vollbad meines Lebens.

Am nächsten Tag besuchten wir mehrere Flüchtlingslager in der Nähe von Peshawar. Ich hatte viele Flüchtlingslager dieser Welt gesehen. Flüchtlingslager sind immer schrecklich. Aber die Lager von Peshawar waren die schlimmsten, die ich je gesehen hatte. Hunderttausende von Frauen, Kindern, Greisen – die erwachsenen Männer waren meist in Afghanistan geblieben, um zu kämpfen – waren in winzigen, viel zu kleinen Zelten untergebracht. Die Lager erstreckten sich über viele Kilometer. Es gab kaum Medikamente, viele Kinder waren mit Ausschlag übersät, viele schwer krank. Auch die Verpflegung war völlig unzureichend.

Die Hilfsorganisationen, die sich um die drei Millionen Flüchtlinge in Pakistan kümmerten, waren personell und materiell völlig überfordert. Pakistan selbst war zu arm, um die Flüchtlinge ausreichend versorgen zu können. Auch die Notkrankenhäuser, in denen die Ärzte schwer kranke und schwer verletzte Flüchtlinge und Freiheitskämpfer behandelten und rund um die Uhr operierten, waren in einem jammervollen Zustand. Die Flüchtlingslager und die Krankenhäuser in Peshawar standen erkennbar vor dem Kollaps. Die Flüchtlinge, die Kranken, die Verwundeten, sie alle schauten uns mit Augen an, aus denen jede Hoffnung geschwunden war.

V.

Einen Tag später saßen Schulze-Vorberg und ich im Flugzeug nach Deutschland. In Bonn ging ich erst einmal auf Tauchstation. Schulze-Vorberg brauchte die Zeit, um sein Filmmaterial entwickeln und sortieren zu können, und ich wollte mich in meiner kleinen Abgeordnetenwohnung erst einmal ausschlafen. Erst am späten Nachmittag des folgenden Tages rief ich die Pressestelle meiner Fraktion an, unterrichtete sie über meine Reise und bat, für den nächsten Tag eine Pressekonferenz einzuberufen.

Am Abend fuhr ich in die Innenstadt von Bonn. Am Rheinufer stieg ich aus und ging zwei Stunden lang am Rhein spazieren, um meine Gedanken zu ordnen. Im Grunde konnte das alles nicht wahr sein. Wenn die Portugiesen in Mosambik oder die Amerikaner in Vietnam ein Dorf dem Erdboden gleichmachten, protestierte zu Recht die gesamte Weltöffentlichkeit so lange, bis die Verantwortlichen zur Rechenschaft gezogen wurden und die realistische Chance bestand, dass sich derartige Massaker nicht wiederholten. In Afghanistan aber hatte die Sowjetunion Hunderte von Dörfern dem Erdboden gleichgemacht und deren Bevölkerung getötet und vertrieben. Aber niemand im Westen sprach darüber, niemand demonstrierte. Die Welt schwieg. Diese Mauer des Schweigens musste eingerissen werden.

Obwohl in Bonn noch Sommerpause war, war die Pressekonferenz am nächsten Tag gut besucht. Ich schilderte, was wir in Afghanistan gesehen und erlebt hatten. Ich versuchte, meinen Bericht sehr zurückhaltend vorzutragen. Die Presse sollte sich ihr eigenes Urteil bilden.

Am Schluss der Pressekonferenz fragte ein Journalist Schulze-Vorberg, der bei seinen Kollegen saß, ob er meinen

Bericht bestätigen könne. Schulze-Vorberg, mein wortkarger Reisebegleiter, dachte kurz nach und sagte dann: „Ich kann jedes Wort bestätigen. Ich fürchte nur, Herr Todenhöfer hat untertrieben."

Das Echo war gewaltig. Die Berichte waren objektiv, auch bei den Medien, die mir gewöhnlich kritisch gegenüberstanden. Auch das offizielle Bonn einschließlich der Regierungsparteien SPD und FDP verhielt sich fair. Die Reise wurde nicht begrüßt, aber auch nicht kritisiert. Eine Sottise erlaubte sich nur der Sprecher des Auswärtigen Amtes. Er erklärte, das Auswärtige Amt bedaure, dass ich die Reise nicht bei ihm angemeldet hätte. Wenn mir etwas zugestoßen wäre, hätte man mir leider keinen diplomatischen Schutz gewähren können.

Wenige Tage später sendete das „ZDF-Magazin" Gerhard Löwenthals Schulze-Vorbergs Afghanistanfilm, kommentiert von Richard Schulze-Vorberg. Der Film zeigte unseren Marsch nach Afghanistan, die zerstörten Dörfer, die zerstörten Schützenpanzer, die Freiheitskämpfer, ihre Erschöpfung, die Lage der Krankenhäuser, der Flüchtlingscamps und die ungeheure Not der Flüchtlinge. Schulze-Vorberg war kein großer Redner. Aber gerade die Tatsache, dass er um Worte rang, machte seinen Bericht besonders glaubwürdig und authentisch.

Die breite Berichterstattung in allen deutschen und in den meisten westlichen Medien führte dazu, dass Afghanistan plötzlich in Deutschland, aber auch in anderen westlichen Ländern langsam wieder zu einem politischen Thema wurde. Wie ernst die sowjetische Propaganda dies nahm, konnte man daraus ersehen, dass die Medien der Sowjetunion und mehrerer Ostblockstaaten nun das publizistische Feuer auf mich eröffneten, weil ich „verkleidet mit Banditen in das kleine souveräne Afghanistan eingedrungen war".

In jenen Tagen fand in Moskau ein großer Empfang zum 10. Jahrestag des deutsch-sowjetischen Vertrages statt. Der Sprecher des KPdSU-Generalsekretärs Leonid Breschnew, Leonid Samjatin, wurde dort im Beisein des deutschen Gesandten Hermann Huber auf meine Afghanistanreise angesprochen. Die Reise schien den Nerv Samjatins getroffen zu haben. Er vergaß, dass an diesem Tag die deutsch-sowjetische Freundschaft gefeiert werden sollte, und bekam einen ausgesprochen feindseligen Tobsuchtsanfall. Er beschimpfte mich nach allen Regeln sowjetischer Beschimpfungskunst und erklärte, wenn man mich erwische, werde man mich „auspeitschen und erschießen lassen".

Das wiederum führte dazu, dass der deutsche Außenminister Hans-Dietrich Genscher, der mich nicht übermäßig leiden konnte, bei seinen Freunden im Kreml offiziell Protest gegen die Äußerungen Samjatins einlegen musste. Ich glaube, kaum ein Protest ist ihm schwerer gefallen als dieser.

Nun musste ich etwas für die Flüchtlinge in Peshawar tun. Es gab nur einen, der mir hier helfen konnte, Gerhard Löwenthal, Leiter des „ZDF-Magazins". Löwenthal war Jude und hatte fast seine ganze Familie in Auschwitz verloren. Trotzdem war er ein deutscher Patriot. Er hatte aus jenen dunklen Jahren der deutschen Geschichte eine klare Konsequenz gezogen: Er hasste alle totalitären Regime, trat überall in der Welt leidenschaftlich für die Menschenrechte ein und kämpfte zu einer Zeit für die Wiedervereinigung Deutschlands, als über 95 Prozent der Bonner Politiker diese längst abgeschrieben hatten.

Wegen seiner antisowjetischen Haltung und wegen seines Eintretens für die Wiedervereinigung galt Löwenthal als rechts, und er war es wohl auch. Aber das war ihm herzlich egal. Je schärfer er wegen seiner antisowjetischen Haltung angegriffen wurde, desto pointierter formulierte er sie.

In Löwenthals „ZDF-Magazin" bekam ich die Möglichkeit, über die Lage der afghanischen Flüchtlinge zu sprechen und zu Spenden aufzurufen. Das Echo war überwältigend. Abertausende von Menschen spendeten und spendeten. Insgesamt sammelten wir in jenen Jahren aufgrund immer neuer Spendenaufrufe im „ZDF-Magazin", in *BILD* und in *BUNTE* über 20 Millionen Mark für die Flüchtlingslager in Peshawar. Endlich konnte Dr. Nassery die Flüchtlinge in Peshawar besser medizinisch versorgen, endlich konnte er den Flüchtlingen ein bisschen mehr zu essen geben als eine Hand voll Reis.

Als Nassery mir von seinen ersten kleinen Erfolgen in den Flüchtlingslagern von Peshawar berichtete, wusste ich, unser Marsch nach Afghanistan hatte sich gelohnt.

VI.

Das alles war nun schon über 20 Jahre her. Aber die Anschläge auf das World Trade Center und das Pentagon hatten mir die Bilder von damals in einer Klarheit, Helligkeit und Deutlichkeit ins Bewusstsein zurückgebracht, als hätte ich alles erst gestern erlebt. Afghanistan stand wieder auf der Tagesordnung der Weltpolitik, freilich ganz anders, als ich mir das damals erhofft hatte.

Es war lange nach Mitternacht, als ich wieder zu Hause ankam. Ich ging leise die knarrenden Treppen des alten Miethauses in Freiburg hoch, in dem mein Vater nun schon seit fast 50 Jahren wohnte. Seit meiner Studentenzeit habe ich dort ein Mansardenzimmer. Ich öffnete das morsche Dachfenster und schaute hinaus in die kalte herbstliche Luft. Ich dachte an meine Freunde in Afghanistan. Würden die Afghanen demnächst wieder ein Bombeninferno erleben – diesmal von dem Land, das sie jahrzehntelang als ihren großen Freund betrachtet hatten? Was konnte man tun, um diesen Krieg zu verhindern? Ich versuchte zu schlafen, aber ich bekam die Bilder der ausgebombten Dörfer nicht aus dem Kopf, die ich in Afghanistan besucht hatte. Erst gegen Morgen fiel ich in einen kurzen Schlaf.

Zwei Tage später traf ich mich in Berlin mit zwei jungen Journalisten, Falko Korth und Thomas Riedel. Riedel ist dunkelblond, schlaksige zwei Meter groß und sieht trotz seiner 31 Jahre noch immer wie ein Lausbub aus. Korth hingegen ist nur mittelgroß, hat dunkle Haare und wirkt etwas distanzierter als der fröhliche Riedel. Aber auch er ist, wenn man ihn näher kennt, ein ausgesprochen herzlicher und sympathischer Kollege. Wegen ihres Größenunterschieds sahen die beiden ein bisschen aus wie Pat und Patachon.

Wir hatten uns näher kennen gelernt, als SAT1 zu meinem 60. Geburtstag einen Film gedreht hatte. Dabei hatten wir uns viel über Afghanistan, über die Sowjetunion, über gerechte und ungerechte Kriege und über das Problem der Gewalt gegen Zivilpersonen unterhalten. Korth eröffnete das Gespräch mit den Worten: „Diesmal heißt die Supermacht, die Afghanistan angreifen wird, USA und nicht UdSSR. Was machen Sie jetzt?"

Ich hatte mich nach meinem Ausscheiden aus dem Deutschen Bundestag über zehn Jahre lang nicht mehr zu politischen Fragen geäußert, alle Interview-Wünsche, alle Einladungen zu Talkshows, alle politischen Beiträge und Auftritte abgelehnt. Ich war zwanzig Jahre lang politisch tätig gewesen, davon achtzehn Jahre im Bundestag und fand, dass das reichte. Das Politiker-Kapitel war abgeschlossen. Außerdem forderte mein Beruf als Stellvertretender Vorstandsvorsitzender des Burda-Konzerns meine ganze Kraft. Hubert Burda und ich waren enge Freunde, und ich liebte und liebe meinen Beruf.

Das alles erklärte ich Korth und Riedel, ohne die beiden allerdings überzeugen zu können. Sie meinten, man könne seine Grundsätze nicht einfach einpacken und wegschließen. Wenn mir das Schicksal der Menschen in Afghanistan wirklich am Herzen liege, könne ich heute genauso wenig schweigen wie damals. Die zwei schienen ziemlich enttäuscht von mir. Ich versprach, über alles nachzudenken.

Am nächsten Tag riefen mich meine Kinder an und fragten, wie ich zu einem Krieg gegen Afghanistan stünde. Mein damals 17-jähriger Sohn Frédéric war für einen sofortigen Angriff auf Afghanistan, während meine 16-jährige Tochter Nathalie und die 19-jährige Valérie leidenschaftlich gegen einen Krieg plädierten und sehr enttäuscht waren, dass ich mich nicht öffentlich äußern wollte.

Abends riefen Freunde aus meinem früheren Wahlkreis Tübingen-Hechingen an und fragten mit erregter Stimme, was ich dazu sagte, dass Afghanen, für die auch sie auf den Straßen demonstriert hatten, nun New York und Washington angegriffen hätten. Ich spürte, dass die meisten Menschen überhaupt keinen Unterschied machten zwischen Afghanistan und den arabischen Terroristen, die die USA angegriffen hatten. Niemanden interessierte es, dass keiner der Flugzeugattentäter aus Afghanistan stammte. Das Motto, das auch zunehmend aus den USA herüberschwappte, hieß: „Feste druff", und zwar auf Afghanistan. Die Zeiten für Differenzierungen schienen vorbei zu sein.

Ich wusste, ich musste versuchen, etwas zu tun, auch wenn es wahrscheinlich nicht viel nützen würde. Ich musste etwas unternehmen, auch weil ich ein Freund Amerikas war und dieses Land und seine Menschen liebte.

Die USA sind ein wunderbares Land. Wir verdanken ihnen großartige Leistungen in vielen Bereichen, in der Wirtschaft, in den Naturwissenschaften, der Kunst, der Literatur und im Sport. Wir Deutschen verdanken ihnen über 50 Jahre Frieden und Freiheit. All das dürfen wir nie vergessen.

Ich liebe die Herzlichkeit, Offenheit und Spontaneität der amerikanischen Menschen. Das gilt für alle Bevölkerungsschichten. Ich habe mit Amerikanern fast nur gute Erfahrungen gemacht. Als ich mit 27 Jahren zum ersten Mal die USA besuchte und am Flughafen von Washington nach einer Bushaltestelle suchte, sprach mich ein etwa 35-jähriger, gut aussehender Amerikaner an. Er kam gerade mit drei Männern vorbei, die Berge von Akten hinter ihm herschleppten. Er fragte, ob er mir behilflich sein könne.

Als ich ihm erklärte, dass ich einen Bus ins Regierungsviertel suchte, bot er mir an, mich mitzunehmen. Irgendwie kam der Mann mir bekannt vor. Wir stiegen in einen ziemlich alten amerikanischen Straßenkreuzer. Während der Fahrt ließ sich mein Gastgeber von seinen Mitarbeitern die wichtigsten Aktenvorgänge der abgelaufenen Woche erläutern. Kurz und knapp teilte er ihnen seine Entscheidungen mit. Zwischendurch erklärte er mir die Sehenswürdigkeiten, an denen wir vorbeikamen.

Plötzlich erkannte ich, wer mich da mitnahm. Es war Edward Kennedy, der Bruder des ermordeten amerikanischen Präsidenten. Ich rieb mir erstaunt die Augen. Im Senat zeigte mir Kennedy kurz das Büro seines Bruders, erklärte mir einige Gegenstände, die John F. Kennedy besonders geliebt hatte, und verabschiedete sich mit einem knappen Gruß. Wäre eine derartige Spontaneität bei einem führenden deutschen Politiker denkbar?

Dieser unkomplizierten Direktheit der Amerikaner bin ich auch später als Politiker immer wieder begegnet: bei Verteidigungsminister Weinberger, bei seinem Staatssekretär Perle, bei amerikanischen Senatoren, bei den führenden Militärs der USA, bei meinen Besuchen der wichtigsten militärischen Einrichtungen des Landes, auf Atom-U-Booten, auf Flugzeugträgern oder in der Kommandomaschine des amerikanischen Präsidenten. Die amerikanische Führung und die amerikanischen Militärs zeigten mir Dinge, die mir europäische Politiker und Militärs nie gezeigt hätten. Sie hatten Vertrauen zu mir, ich zu ihnen. Wenn ich etwas wissen, sehen, überprüfen wollte, gab es nie lange Diskussionen. Die Amerikaner, die ich kennen gelernt hatte, waren offen, direkt und zuverlässig.

Die in meinem damaligen Wahlkreis Kaiserslautern-Kusel stationierte amerikanische Armee hatte mich 1975 zum amerikanischen Ehrenoberst ernannt, die einzige Auszeichnung, die ich in meinem Leben akzeptiert habe. Außerdem war ich der einzige männliche Ehren-Girl-Scout der Welt, nachdem ich 1966 eine amerikanische Pfadfinderinnen-gruppe als Reiseleiter in 12 Tagen durch 13 europäische Länder geschleust hatte. Ich liebe die USA.

Meine Liebe zu Amerika hieß allerdings nicht, dass ich die Politik aller ihrer Präsidenten gut fand, so wie meine Liebe zu Deutschland nie bedeutete, dass ich jeder Entscheidung deutscher Regierungen zustimmte.

Da die Töne aus Washington immer kriegerischer wurden und meine Sorge immer größer, dass es bald zu einem Krieg gegen Afghanistan kommen würde, beschloss ich, dem amerikanischen Präsidenten George W. Bush, dem ich bei den Wahlen im Vorjahr noch kräftig die Daumen gedrückt hatte, einen offenen Brief zu schreiben.

Am Wochenende setzte ich mich in mein Arbeitszimmer in Starnberg, wo wir inzwischen unseren Hauptwohnsitz hatten, und schrieb:

„Sehr geehrter Herr Präsident,
ich schreibe diesen Brief als ein Freund, der immer, auch in den schwierigen Zeiten des Ost-West-Konflikts, unerschütterlich an der Seite der USA stand. Ich bin wie alle Deutschen erschüttert über das Leid, das kriminelle Terroristen über Ihr Land gebracht haben. Meine 19-jährige Tochter war während des Anschlags nur wenige Blocks vom World Trade Center entfernt. Wie viele amerikanische Familien haben wir einen Tag lang in schrecklicher Angst gelebt.

Es ist Ihr Recht und Ihre Pflicht, die Täter und deren Verbündete hart zu bestrafen. Für Terrorismus gibt es keine Entschuldigung. Aber ich bitte Sie sicherzustellen, dass bei Ihren Vergeltungsschlägen nicht auf jeden getöteten Feind Hunderte tote Zivilpersonen kommen.

Ich bin während der Besetzung Afghanistans durch die Sowjetunion mehrfach unter Lebensgefahr in Afghanistan gewesen. Kein Volk der Welt lebt in schrecklicheren Verhältnissen. Jahrzehntelanger Krieg, Dürre und Hungersnot haben das Land verwüstet, Millionen von Afghanen sind auf der Flucht. Der überwiegende Teil der Bevölkerung lehnt die Taliban ab. In der Nacht nach dem Anschlag auf Ihr Land haben die Gegner der Taliban den Flughafen von Kabul demonstrativ mit Raketen angegriffen. Ihr verzweifeltes Signal hieß: Das afghanische Volk ist mit dem Terroranschlag auf die USA nicht einverstanden.

Wenn ein Vergeltungsschlag nun in erster Linie die Frauen und Kinder Afghanistans trifft, wäre das nicht nur ein Verstoß gegen das Völkerrecht. Es würde auch den Hass der Dritten Welt auf Ihr Land weiter schüren. Die Gefahr immer neuer Terroraktionen würde nicht kleiner, sondern größer.

Ich bete für die getöteten und verwundeten Menschen Ihres Landes. Ich bin fassungslos über das, was man ihnen angetan hat. Aber ich bete auch für die unschuldigen Frauen und Kinder Afghanistans. Ich bete, dass Sie eine Entscheidung treffen, die die Welt sicherer und nicht unsicherer macht. Ich bete, dass Sie die Schuldigen treffen und nicht die Unschuldigen.

Mit freundlichen Grüßen
Ihr
Jürgen Todenhöfer"

München, 15.9.2001

Damals wusste ich nicht, dass die Entscheidung für einen Krieg gegen Afghanistan bereits am 12. September gefallen war. Aus den Bush-Männern waren längst Bush-Krieger geworden. Der amerikanische Präsident versuchte in den Tagen nach den Anschlägen lediglich, Zeit zu gewinnen, um Verbündete für seinen Krieg zu gewinnen, und um seine Militärmaschinerie in Position zu bringen. Condoleeza Rice hat dies in mehreren Interviews ausdrücklich bestätigt.

Ich ließ den Brief über einen Boten dem amerikanischen Botschafter in Berlin Daniel Coats überbringen. Erst danach veröffentlichte ich ihn in *Bild am Sonntag*. Coats bedankte sich schriftlich mit den Worten:

„Die vielen Bekundungen der Anteilnahme und Unterstützung, die ich seit den tragischen Ereignissen vom 11. September aus ganz Deutschland erhalten habe, haben mich zutiefst bewegt. Sie haben allen Amerikanern die unvergängliche Freundschaft und Zuneigung vor Augen geführt, die das deutsche Volk für Amerika empfindet. Ich danke Ihnen für Ihre Beileidsbekundung für die Opfer dieser Tragödie und für Ihre Zuneigung für das amerikanische Volk in dieser schwierigen Zeit.

Daniel Coats"

Als ich Coats kurze Zeit danach in Berlin auf unseren Briefwechsel ansprach, bedankte er sich nochmals sehr herzlich und sagte, er sei von meinem Brief sehr bewegt gewesen. Hatte er ihn wirklich gelesen?

In den Wochen danach forderten die USA von der afghanischen Regierung die Auslieferung Bin Ladens. Diese Forderung war berechtigt. Aber wäre es nicht hilfreich gewesen, wenn die USA der afghanischen Regierung parallel dazu Beweise für die Beteiligung Bin Ladens an den Anschlägen angeboten hätten?

Ich hatte nie mit der Steinzeitregierung der Taliban Kontakt gehabt. Ihre intolerante Auslegung des Islam, ihre Brutalität gegenüber ihren politischen Gegnern und vor allem gegenüber Frauen hatten mich immer abgestoßen. Auf der anderen Seite wusste ich, dass die meisten Taliban, ihr Anführer Mullah Omar eingeschlossen, weitgehend isoliert waren und nicht viel von der Welt um sie herum wussten. Sie waren in den elenden Flüchtlingslagern Pakistans aufgewachsen und hatten außer Afghanistan und Pakistan keine anderen Länder kennen gelernt.

Die Älteren unter ihnen, die in der Vor-Taliban-Zeit gegen die Russen gekämpft hatten, waren im Krieg zum Teil schwer verletzt worden. Ein Großteil des „Kabinetts", wenn man die Gruppe um Mullah Omar so nennen durfte, bestand aus Kriegsinvaliden, Einarmigen, Einbeinigen, Mullah Omar selbst hatte ein Auge verloren.

Vom Regieren hatten sie keine Ahnung, sie hatten es auch nie richtig versucht. Das Einzige, was sie kannten, war ein bis zur Absurdität verformter, wahhabitischer Islam, den sie gegenüber der Bevölkerung mit rigider Grausamkeit durchsetzten. Die Welt außerhalb Afghanistans interessierte sie nicht.

Ich glaube, dass die Führung der Taliban durch die Ereignisse des 11. September, von denen die meisten Kabinettsmitglieder vorher nichts gewusst hatten, völlig überfordert war. Zwar gab es in der Regierung eine gemäßigte Fraktion, die den paschtunischen Stammesfürsten verbunden war und die sich den Taliban erst nach der Eroberung des Landes angeschlossen hatte. Aber deren Kenntnis der Welt war auch nicht viel größer.

Da außer Pakistan und Saudi-Arabien alle Staaten seit langem ihre diplomatischen Beziehungen zu Afghanistan abgebrochen hatten, hatte die Talibanführung kaum jemanden, mit dem sie sich beraten könnte. Mullah Omar, ein Bauernsohn von überschaubarer Intelligenz, der aus der Nähe von Helmand im Süden Afghanistans stammte, saß jetzt wahrscheinlich mit einer Hand voll genauso überforderter Steinzeitkrieger in einem verräucherten Zimmer oder in einer Höhle Afghanistans und hatte keine Ahnung, wie er sein Problem mit dem mächtigsten Land der Welt lösen sollte.

Warum fuhr in dieser Situation niemand nach Kabul oder Kandahar, um diese verdammte Krise zu lösen? War es nicht Aufgabe des UNO-Generalsekretärs Kofi Annan, jetzt in das Flugzeug zu steigen und der Talibanführung den Weg aus ihrem selbst verschuldeten Dilemma zu zeigen – so wie sich 1956 UNO-Generalsekretär Dag Hammarskjöld in die Suez-Krise eingeschaltet hatte und 1961 unter Einsatz seines Lebens versucht hatte, die Kongo-Krise zu lösen.

Ich rief meinen früheren Fraktionsassistenten Albert Baumhauer in Bonn an und fragte ihn, was er davon halte, wenn ich Mullah Omar einen Brief schriebe. Baumhauer, ein blitzgescheiter und trotzdem gemütlicher Schwabe, mit dem ich mich in meinen fünf Bonner Wahlperioden angefreundet hatte, hielt gar nichts davon. Derartigen Verbrechern schreibe man nicht. Außerdem bestehe die Gefahr, dass man meinen Brief eines Tages finde und mir Vorwürfe mache, dass ich zu dieser schrecklichen Regierung Kontakt aufgenommen hätte. Obwohl ich wusste, dass seine Bedenken berechtigt waren, beschloss ich, Mullah Omar zu schreiben. Zehn Tage nach den Anschlägen schrieb ich ihm folgenden Brief:

„Sehr geehrter Mullah Omar,
ich schreibe Ihnen diesen Brief in großer Sorge um die Menschen in Afghanistan und um den Frieden in der Welt. Vielleicht kennen Sie mich. Ich war zwischen 1980 und 1987 als Mitglied des Deutschen Bundestages mehrfach mit Mudschaheddin in Afghanistan. Ich habe dabei immer wieder mein Leben aufs Spiel gesetzt, weil ich Ihrem Volk bei seinem Kampf um Freiheit und Frieden helfen wollte.

Ich konnte damals mit Hilfe der deutschen Medien über 20 Millionen Mark für die afghanischen Flüchtlinge in Peshawar sammeln. Meiner jüngsten Tochter habe ich bei ihrer Geburt den Namen der afghanischen Freiheitskämpferin Malalai gegeben. Ich schreibe Ihnen das, um Ihnen zu zeigen, dass ich Ihr Volk liebe.

Heute möchte ich Sie sehr herzlich bitten, einen Weg zu finden, der einen Krieg zwischen Ihrem Land und den USA vermeidet. Dieser Krieg würde unzähligen unschuldigen Afghanen das Leben kosten. Die Menschen in Afghanistan haben das nicht verdient, sie haben genug gelitten.

Sie haben es als Chef der Taliban in der Hand, diesen Krieg zu vermeiden, ohne Ihre islamischen Grundsätze zu verraten. Der Islam ist eine sehr tapfere und sehr männliche Religion, aber mit Terrorismus hat er nichts zu tun. Der Prophet Mohammed hätte die Attentäter von New York und Washington, die Tausende von unschuldigen Menschen in den Tod gerissen haben, verachtet. Es wäre daher kein Zeichen der Schwäche, sondern ein Zeichen von Stärke, wenn Sie die USA bei ihrem Kampf gegen den internationalen Terrorismus unterstützen würden.

Die Afghanen haben sich über Jahrhunderte den Ruf eines besonders mutigen Volkes erkämpft. Sie würden als Chef der Taliban diesen Ruf, für den unzählige afghanische Frauen und Männer ihr Leben geopfert haben, für immer verspielen, wenn Sie nicht eine klare Trennlinie zwischen afghanischer Tapferkeit und internationalem Terrorismus ziehen.

Natürlich ist es schwer, sich von ehemaligen Kampfgefährten zu trennen. Aber nicht die Afghanen würden Osama Bin Laden verraten, sondern Osama Bin Laden hat die Afghanen verraten. Ich habe bei den vielen afghanischen Freiheitskämpfern, die ich in Afghanistan kennen gelernt habe, keinen getroffen, der dafür gekämpft hat, dass eines Tages ein saudi-arabischer Millionär von afghanischem Boden aus Tausende unschuldiger Menschen in New York und Washington in den Tod reißen könnte. Es gibt nichts Feigeres als Terrorismus gegen unschuldige Zivilpersonen. Auch deshalb darf es niemandem gelingen, die Afghanen in die Nähe des internationalen Terrorismus zu rücken.

Da ich selbst mehrere Wochen mit afghanischen Mudschaheddin in den Bergen des Hindukusch verbracht habe, weiß ich, wie schwer es sein wird, die Schutztruppen Bin Ladens aus Afghanistan zu vertreiben. Ich bitte Sie trotzdem, alles in Ihrer Macht Stehende zu tun, um Bin Laden zu zwingen, Afghanistan zu verlassen. Natürlich haben Sie einen Anspruch darauf, vorher die wichtigsten Beweise der USA gegen Bin Laden zu erfahren. Ich bin jedoch sicher, die USA wären dazu bereit.

Dieser Vorschlag klingt hart und er ist es auch. Aber nur durch harte Maßnahmen kann es Ihnen gelingen, Ihr Land vor einer militärischen und moralischen Katastrophe zu bewahren. Sie würden den Ruf Ihres Volkes als mutiges, freiheitsliebendes Volk bewahren, wenn Sie sich im Kampf gegen den internationalen Terrorismus an die Seite der USA stellen würden.

Niemand darf den muslimischen Völkern das Recht absprechen, politisch und kulturell eigene Wege zu gehen. Bei der Bekämpfung des internationalen Terrorismus aber sollten alle Völker dieser Welt denselben Weg gehen. Darum möchte ich Sie als Freund des afghanischen Volkes sehr herzlich bitten.

Mit freundlichen Grüßen
Ihr
Jürgen Todenhöfer"

München, 21.9.2001

Den Brief ließ ich von afghanischen Freunden auf Paschto und Dari übersetzen. Dann wurde er durch Boten dem afghanischen Botschafter in Pakistan Mullah Abdul Salaam Saeef sowie Mullah Omar direkt nach Kandahar überbracht. Anders als auf meinen Brief an den amerikanischen Präsidenten habe ich bis heute keine Antwort erhalten. Vielleicht hängt das auch damit zusammen, dass Ex-Botschafter Saeef inzwischen in Guantanamo sitzt und dort von den USA als „feindlicher Kombattant" festgehalten wird.

VII.

Ich war sicher, dass es in den Wochen nach dem 11. September eine Möglichkeit gab, Bin Laden ohne Krieg auszuschalten. Bin Ladens Rückhalt bei den meisten paschtunischen Stämmen war nicht mehr groß. So sehr die Paschtunen, die größte Volksgruppe Afghanistans, seine finanzielle Unterstützung im Kampf gegen die Sowjetunion geschätzt hatten, so suspekt waren ihnen seine Trainingscamps im Hindukusch, die er nach dem Abzug der Sowjets aus Afghanistan 1989 zügig aufgebaut hatte und in denen sich fast nur Ausländer herumtrieben. Bewaffnete Ausländer aber, die so taten, als gehöre Afghanistan ihnen, waren den Paschtunen schon immer suspekt.

Seit dem ersten Anschlag auf das World Trade Center im Jahr 1993 waren immer wieder Gerüchte über die Beteiligung Bin Ladens an internationalen Terroranschlägen nach Afghanistan geschwappt. Mit diesen Terroranschlägen gegen unschuldige Zivilpersonen wollten die Paschtunen nichts zu tun haben. Die Paschtunen waren stolze Freiheitskämpfer, aber keine Terroristen. Ein Paschtune tötet keine unschuldigen Zivilpersonen. Das widerspricht seiner Ehre.

Außerdem widerspricht es seinem Glauben. Die meisten der paschtunischen Stammesführer sahen in den Anschlägen vom 11. September, soweit sie überhaupt von ihnen erfahren hatten, einen Verrat am Islam. Mohammed verbietet im Sahih Al-Muslim, der offiziellen Sammlung seiner Zitate, ausdrücklich die Tötung Unschuldiger, besonders aber von Frauen und Kindern. Bei den Anschlägen vom 11. September auf das World Trade Center waren jedoch nur Zivilpersonen, darunter unzählige Frauen getötet worden. Der

Koran verbietet in der 4. Sure genauso kategorisch die Tötung von Muslimen. Selten waren bei einem Terroranschlag so viele Muslime getötet worden, wie beim Anschlag auf die Twin Towers.

Schon kurz nach dem 11. September war daher der Rat der Mullahs, die Schura Ulema, zusammengetreten – ein Gremium noch bedeutsamer als die Loya Jirga, die Versammlung der afghanischen Stämme. Sie hatte Bin Laden aufgefordert, das Land freiwillig zu verlassen. Diese Entscheidung kam einer Revolution gleich, da das Gastrecht in Afghanistan eine fast heilige Institution ist und der mit Bin Laden verschwägerte Mullah Omar leidenschaftlich gegen diesen Beschluss plädiert hatte.

Einige Wochen später bot die nun tief gespaltene Talibanführung den USA offiziell an, Bin Laden bei Vorlage überzeugender Beweise an ein neutrales Land auszuliefern. Die amerikanische Regierung hat das alles vom Tisch gewischt.

Parallel zum Beschluss der Schura Ulema bekamen die USA von führenden Paschtunen wie Abdul Haq Signale, dass die paschtunischen Stammesführer das Problem Bin Laden selbst lösen wollten. Abdul Haq, der nicht nur in Afghanistan, sondern auch in amerikanischen Regierungskreisen hohes Ansehen genoss, wusste: Ein mit Dollar beladener Esel kommt in Afghanistan weiter als jede Armee. Der spätere Krieg der USA gegen Afghanistan kostete Dutzende von Milliarden Dollar. Wenn die USA nach dem 11. September in den paschtunischen Stammesgebieten auch nur eine davon zur Ergreifung Bin Ladens ausgesetzt hätten, hätten sie erheblich größere Chancen gehabt, an ihn heranzukommen als durch die Bombardierung Afghanistans.

Natürlich wäre auch diese Strategie nicht ungefährlich gewesen. Die Ermordung Abdul Haqs durch die Taliban, als dieser versuchte, seinen Heimatstamm zu besuchen, hat dies gezeigt. Aber die Strategie „Geld statt Krieg" hätte Tausende von Menschenleben gerettet, ohne die muslimische Welt aufzuheizen.

Aber nicht nur Bin Laden konnte ohne Krieg ausgeschaltet werden. Mittelfristig bestand auch die Möglichkeit, die Taliban ohne Krieg zu entmachten. Die Taliban hatten in der Bevölkerung nur noch einen geringen Rückhalt. Ihre rigide Religionspolitik, die Unterdrückung der Frauen, die immer desolater werdende wirtschaftliche Lage – all das hatte zu großer Enttäuschung geführt.

Die Afghanen konnten vor allem mit dem borierten Fanatismus der Taliban nichts anfangen. Afghanen sind nicht fanatisch. Ich habe auf meinen vielen Reisen in Länder der Dritten Welt nie ein freundlicheres, gelasseneres, stoischeres Volk kennen gelernt. Die fanatischen Taliban waren eine Karikatur Afghanistans.

Der 11. September hatte die Position Mullah Omars weiter geschwächt. Viele Stammesfürsten und geistliche Führer waren nicht bereit, für die feigen Terroranschläge eines ausländischen Milliardärssohns zu sterben. Das gegen den Willen Mullah Omars gefällte Votum der Schura Ulema, Bin Laden zum Verlassen des Landes aufzufordern, hatte gezeigt, wie angeschlagen Mullah Omar war.

Es gab daher sehr konkrete Möglichkeiten, die Taliban ohne Krieg von außen zu stürzen: durch Kontakte zu den gemäßigten Kräften der Taliban, durch Geld, durch den Aufbau einer Südfront mit Hilfe der paschtunischen Stämme und durch konsequentes Abschneiden des militärischen Nachschubs aus Pakistan sowie des finanziellen Nachschubs aus Saudi-Arabien und den arabischen Emiraten.

Es gab vor allem die Möglichkeit, über Abdul Haq und andere paschtunische Führer die paschtunische Karte zu

54

spielen. Die paschtunischen Stämme waren das Fundament, auf dem die paschtunischen Taliban standen. Sobald die paschtunischen Stammesführer den Taliban ihre Unterstützung entzogen hätten, wären diese ins Bodenlose gestürzt.

Zwar wäre das möglicherweise nicht so schnell gegangen wie mit Ziel- und Flächenbombardements. Aber darf man die Tötung tausender unschuldiger Zivilpersonen bewusst in Kauf nehmen, nur damit eine schreckliche Regierung schneller gestürzt wird, mit der man trotz schwerster Menschenrechtsverletzungen jahrelang über Erdgasleitungen verhandelt hatte?

Außerdem war schon damals klar: Eine Bombardierung der Städte Afghanistans würde den Terrorismus nicht schwächen, sondern stärken. Sie würde die islamische Welt weiter radikalisieren und dem muslimischen Terrorismus weitere Sympathisanten zuführen.

Natürlich mussten die USA auf die Anschläge vom 11. September reagieren, und sie mussten hart reagieren. Aber ihre Reaktion musste klug und gerecht sein. Sie musste zeigen, dass die USA nicht nur für Härte und militärische Stärke standen, sondern auch für Klugheit und Gerechtigkeit. Die USA durften und mussten die Al-Qaida-Lager in den Bergen des Hindukusch angreifen, aber nicht die Dörfer und Städte Afghanistans.

Für die Strategie „Härte und Gerechtigkeit" begann ich mir die Finger wund zu schreiben. Von nun an stand ich – zum Unwillen meiner Familie – fast jeden Samstag und Sonntag um 5.00 Uhr auf. Ich dachte an die schwer verletzten Kinder, die ich in den überfüllten Krankenhäusern Pakistans gesehen hatte, und an die Menschen, die ich in Afghanistan kennen gelernt hatte. Ich schrieb und schrieb und hoffte, mithelfen zu können, diesen verdammten Krieg doch noch zu verhindern.

VIII.

Es war Sonntagabend, der 7. Oktober 2001. Ich saß in meinem gemütlichen, kleinen Arbeitszimmer in Starnberg. Vor mir lagen die schönsten Stunden der Woche, drei Stunden Gitarreunterricht mit meinem finnischen Lehrer Pentti Turpeinen. Ich hatte erst drei Jahre zuvor mit dem Spielen angefangen. Seither spielte ich fast jeden Abend eine Stunde. Beim Gitarrespielen konnte ich alle Probleme des Alltags, allen Ärger vergessen. Turpeinen war 53 Jahre alt, groß und kräftig gebaut. Mit seinen kurzen grauen Stoppelhaaren und seinen lustigen graublauen Augen sah er aus wie ein Teddybär.

Die Begeisterung meiner Familie über meine Gitarren- und Gesangskünste hielt sich in Grenzen. Sobald ich zu spielen und zu singen anfing, entschwand ein Familienmitglied nach dem anderen aus dem Raum. Die Kinder hatten plötzlich dringend Schulaufgaben zu machen, und meine Frau hatte auf einmal sehr Wichtiges zu erledigen. Nur unseren beiden Hunden Rambo und Jimmy, zwei weißen Havanesen, schien mein Gitarrespiel zu gefallen. Sobald ich die Gitarre in die Hand nahm, kamen sie angezottelt und sprangen links und rechts von mir auf das Sofa. Sie waren meine einzigen Fans.

An jenem Sonntagabend im Oktober hatte Turpeinen ein neues Lied mitgebracht, „Imagine" von den Beatles. Es ist das Lied eines Träumers, ein Lied über Frieden, Toleranz und Freundschaft.

> Imagine there's no countries
> It isn't hard to do
> Nothing to kill or die for
> And no religion too

Imagine all the people
Living life in peace ...
You may say I'm a dreamer
But I'm not the only one
I hope some day you'll join us
And the world will be as one.

Während ich dieses Lied spielte, stürzte mein Freund Heinz Föll ins Zimmer: „Machen Sie schnell den Fernseher an! Es geht los." Ich wusste sofort, was er meinte. Der Krieg gegen Afghanistan hatte begonnen. Ich sprang auf, eilte ins Nebenzimmer und schaltete den Fernseher ein.

Die meisten deutschen Fernsehanstalten hatten sich bei CNN zugeschaltet und berichteten live aus Kabul. Der Himmel über der afghanischen Hauptstadt leuchtete hellgrün. Bei jeder Bombe, jeder Rakete zuckten Blitze über den Schirm. Bei jedem Einschlag schreckte ich zusammen. Ich spürte die Schläge fast physisch. Ich wusste, dort wo die Raketen, die Cruise missiles, die Bomben einschlugen, wurden nicht nur Gebäude zerstört, dort starben auch Menschen. Menschen, die seit Jahrzehnten nur Krieg, Not und Unterdrückung gekannt hatten. Menschen, denen ich, als sie noch Kinder waren, in den Flüchtlingslagern Peshawars vielleicht begegnet war.

Vier Wochen hatten die USA Zeit gehabt, zu überlegen, wie sie auf die mörderischen Anschläge der saudi-arabischen, ägyptischen und jemenitischen Selbstmordattentäter reagieren sollten. Aber ihnen war nichts anderes eingefallen, als afghanische Städte zu bombardieren. Dass die USA die Lager von al Qaida bombardierten, war in Ordnung. Aber warum die Städte?

Mir wurde schlecht, und ich schaltete das Gerät wieder aus. Turpeinen, der die ganze Zeit neben mir gestanden hatte, fragte mich, ob ich weiterspielen wollte. Ich nickte. Aber schon nach wenigen Minuten spürte ich, dass es nicht ging. Ich traf keinen Akkord, und singen konnte ich schon gar nicht mehr. Ich bat ihn, mich zu entschuldigen, und packte meine Gitarre ein. In Gedanken war ich weit fort.

In jener Nacht des 7. Oktober fand ich keinen Schlaf. Ich versuchte gar nicht zu schlafen, es wäre ohnehin nicht gegangen. Ich saß in meinem Arbeitszimmer und schaute hinaus in die Nacht. Ich dachte an Afghanistan, und wieder liefen die Bilder meiner Reisen nach Pakistan und Afghanistan wie ein Film vor meinen Augen ab. Ich konnte diesen Film nicht aufhalten, und ich wollte es auch nicht.

IX.

Im Februar 1984, dreieinhalb Jahre nach meiner ersten Afghanistanreise, war ich mit einer Gruppe deutscher Journalisten wieder nach Peshawar gefahren. Ich wollte ihnen das Elend der afghanischen Flüchtlingslager in Pakistan zeigen und das wieder eingeschlafene Interesse der deutschen Politik an der afghanischen Tragödie wecken. Auch Richard Schulze-Vorberg war dabei.

Ich hatte mehrere Kisten Medikamente dabei, die mir deutsche Pharmaunternehmen gestiftet hatten. Ziel meiner diesmal offiziell beim Auswärtigen Amt angemeldeten Reise waren ausschließlich pakistanische Flüchtlingslager und Krankenhäuser. Außerdem war ein Gespräch mit dem pakistanischen Präsidenten vereinbart.

Afghanistan wollte ich nicht besuchen. Nicht weil ich Angst um mein Leben gehabt hätte. Auch nicht, weil ich die sowjetische Propaganda gefürchtet hätte, die mich seit meinem ersten Besuch in Afghanistan nur noch „Bandit im Bundestag", „parlamentarischen James Bond" und „Agent einer fremden Macht", d. h. Agent Amerikas, nannte. Das alles war mir genauso egal wie die Drohungen der sowjetischen Führung, ein zweiter Afghanistan-Besuch werde nicht so glimpflich verlaufen wie der erste.

Ich wollte auf dieser Reise vor allem auf die humanitären Folgen des Afghanistan-Krieges hinweisen, auf die Probleme der Flüchtlingslager, auf die Perspektivlosigkeit der Kinder, die dort heranwuchsen. Dass diese fatale Perspektivlosigkeit eines Tages zur Entstehung der Talibanbewegung führen würde, ahnte ich damals auch nicht.

An einem romantischen Berghang des Hindukusch überreichte ich die Medikamente dem alten paschtunischen

Freiheitsführer Yunis Khaless. Khaless war ein kleiner, korpulenter Mudschahed mit rostrot gefärbtem Bart. Es fiel mir schwer, ihn mir beim Kämpfen vorzustellen, weil ihm dabei sein mächtiger Bauch im Wege stehen musste. Aber Khaless war trotz seines hohen Alters und trotz seines Aussehens ein angesehener Führer der paschtunischen Mudschaheddin.

Offenbar genoss er nicht nur bei den paschtunischen Männern, sondern auch bei den paschtunischen Frauen hohes Ansehen. Er war mit einer bildhübschen, höchstens 17 Jahre jungen Frau verheiratet, die der Medikamentenübergabe neugierig zuschaute.

Wir besuchten wieder die riesigen, trostlosen Flüchtlingslager Peshawars und zahlreiche Krankenhäuser. Die Krankenhäuser waren mit Kindern überfüllt, denen Minen die Beine zerfetzt oder abgerissen hatten. Wir gingen schweigend durch die armseligen Krankensäle. Selbst die Gesprächigsten unserer Gruppe waren still und nachdenklich geworden.

Am vorletzten Tag, wenige Stunden vor unserem Abflug nach Islamabad, der Hauptstadt Pakistans, standen wir dichtgedrängt in einem kleinen, stickigen Krankenzimmer. In der Ecke des winzigen Raumes lag ein völlig abgemagerter junger Afghane. Er sah Schrecken erregend aus. Seine nackten Beine waren, genauso wie seine Arme, steif und verbrannt, im linken Knie hatte er ein Loch von der Größe eines Fünfmarkstückes. Nur sein Gesicht war unversehrt. Auf dem Kopf trug er einen Lederhelm, wie ihn damals Radrennfahrer trugen. Er fror. Er sah aus wie der leibhaftige Tod.

Der Stationsarzt erzählte uns, dass Abdul Qaher vor zweieinhalb Jahren als 18-Jähriger bei einem sowjetischen Angriff durch Brandbomben schwer verletzt worden war. Er unterrichtete als Oberschüler gerade kleine Kinder, als sowjetische Bomben sein Dorf verwüsteten und sein Leben veränderten. Die Flammen hatten über die Hälfte seines Körpers verbrannt. Ein halbes Jahr lang hatte er in einer Erdhöhle gelegen, nur notdürftig mit Salben und einfachen Stofflappen versorgt. Dann hatten ihn Verwandte über den Hindukusch nach Peshawar geschleppt.

Dort lag er seit zwei Jahren. Er zehrte dahin, die Gelenke versteiften, er wog nur noch 27 Kilogramm. Obwohl er keine realistische Überlebenschance hatte, war sein Lebenswille offenbar ungebrochen. Ich fragte seinen Arzt, wie lange er noch leben würde. Der Arzt meinte zwei Monate, vielleicht auch drei, mehr nicht.

Während wir uns über ihn unterhielten, sah uns Abdul mit großen Augen an. Er sagte kein Wort. Betroffen verließen wir den Raum, der nach Desinfektionsmitteln und Verwesung roch.

Als ich gerade die Tür schließen wollte, hörte ich, wie der Junge leise etwas sagte. Ich fragte den Arzt, was er gesagt habe, aber der Junge hatte so leise gesprochen, dass auch er ihn nicht verstanden hatte. Wir drehten uns um, und Abdul wiederholte fast lautlos seine Worte. „Er hat gesagt: ‚Nehmen Sie mich mit!‘", erklärte mir der Arzt verlegen und Achsel zuckend.

Mich traf dieser Satz wie ein Schlag. Ich war froh gewesen, das Krankenzimmer hinter mir lassen zu können, den sterbenden Jungen nicht mehr sehen zu müssen. Mit diesem einen Satz riss er mich in sein Leben, in sein Elend, in sein unlösbares Problem. Ich wusste, keine Fluglinie der Welt würde den langsam vor sich hinfaulenden, sterbenden Jungen mitnehmen. Wahrscheinlich würde er nicht einmal den Flug überleben.

Ich ging zu dem Jungen zurück und erklärte ihm, dass ich ihn nicht mitnehmen könne, dass ich mich aber erkundigen würde, ob es irgendwo in Pakistan Spezialisten gäbe, die ihn operieren könnten. Dann verließ ich den Raum. Der Arzt sagte mir noch einmal, es gebe für den Jungen keine wirkliche Chance mehr. Es sei erstaunlich, dass er überhaupt noch lebe.

Am nächsten Tag flogen wir nach Islamabad. Dort traf ich mit dem pakistanischen Staatspräsidenten Zia-ul-Haq zusammen, einem Mann Anfang sechzig, der aussah wie Omar Sharif. Wir unterhielten uns lange über Afghanistan und Pakistan. Als ich mich verabschiedete, nahm er meine Hände und sagte, er stehe mir zur Verfügung, wann immer ich diese wünschte. Ich dachte bei diesem Angebot an Abdul, aber ich erwähnte den Jungen nicht. Ich sagte nur, ich würde auf sein Angebot zurückkommen.

Nach Tübingen zurückgekehrt, setzte ich mich mit der Universitätsklinik und mit der Berufsgenossenschaftlichen Unfallklinik in Verbindung. In Professor Koslowski und Oberarzt Hettich fand ich einen orthopädischen Chirurgen und einen Spezialisten für Hauttransplantationen, die bereit waren, Abdul zu operieren. Ich erklärte ihnen, dass der Junge wahrscheinlich ein hoffnungsloser Fall sei, aber das schien sie nicht zu schrecken. Sie versprachen alles zu tun, um ihm zu helfen – ohne Honorar.

Es gelang mir, auch die Deutsche Rettungsflugwacht für Abdul zu interessieren. Und einige Wochen später war der Jet der Deutschen Rettungsflugwacht mit dem Unfallspezialisten Professor Domres unterwegs nach Peshawar. Die erforderlichen Visa hatte das Auswärtige Amt besorgt.

Einen Tag nach dem Abflug bekam ich von Domres einen verzweifelten Anruf aus Peshawar. Die pakistanischen Behörden hatten ihm die Erlaubnis verweigert, Abdul nach Deutschland auszufliegen. Ich versuchte sofort, das Auswärtige Amt zu erreichen. Aber es war Samstag und im

Auswärtigen Amt gab es nur einen Notdienst, der mir nicht weiterhelfen konnte. Ich fragte nach der Telefonnummer des pakistanischen Präsidenten, aber auch die war dem Notdienst nicht bekannt.

Was sollte ich tun? Die Rettungsmaschine wurde am nächsten Tag dringend in Deutschland gebraucht. Ich musste unbedingt Zia-ul-Haq erreichen. Aber wie? Ich rief die Auslandsauskunft in Frankfurt an und bat, mich mit dem pakistanischen Präsidenten in Islamabad zu verbinden. Die Auskunftsdame hielt mich offenbar für verrückt und fragte, ob es auch der amerikanische Präsident sein dürfe.

Ich erklärte ihr mühsam, dass es sich um einen ernsten Notfall handle. Obwohl sie mich wahrscheinlich immer noch für durchgeknallt hielt, versprach sie zu recherchieren und zurückzurufen. Eine halbe Stunde später rief sie wieder an und fragte, ob das „Presidential House" die richtige Adresse sein könne. Ich hatte keine Ahnung, bat sie aber, es einfach zu versuchen.

Kurz danach hatte ich ein Vorzimmer am Telefon, das mich zu einem General weiterverband. Ich erklärte dem General, wer ich war und worum es ging. Er bat mich in rollendem Englisch, kurz zu warten. Dreißig Sekunden später hatte ich Zia-ul-Haq am Hörer, der mich fragte: „How are you my friend? What can I do for you?"

Ich war unendlich glücklich und erklärte mein Anliegen. Er sagte lachend: „In einer Stunde hat Ihre Maschine die nötige Starterlaubnis." Dann unterhielten wir uns noch einige Zeit über die internationale Lage und über unsere Familien. Ich musste ihm versprechen, ihn bei meinem nächsten Besuch in Pakistan wieder zu besuchen.

Einen Tag später landete Abdul in Stuttgart. Mit einem kleinen Taschenspiegel, den er an das Kabinenfenster gehalten hatte, hatte er den Flug von Pakistan nach Europa staunend verfolgt. Als wir ihn vorsichtig aus dem Flugzeug trugen, lächelte er mich erschöpft, aber glücklich an.

Eine Stunde später lag er in einem kleinen, sauberen Zimmer der Berufsgenossenschaftlichen Klinik von Tübingen, der größten Stadt meines Wahlkreises. In ihrem ersten Bericht stellten die Ärzte fest: „Durch lange Jahre der Immobilisation sind bis auf den linken Arm alle Gelenke eingesteift. Auch die Wirbelsäule und die beiden Hüftgelenke sind nahezu völlig kontrakt. Der Patient kann wie ein starres Gerüst angehoben werden, ohne dass sich die Gelenke auch nur passiv bewegen."

Was nun begann, war menschlich und medizinisch eine Glanzleistung. In zahllosen Operationen versuchten Koslowski und Hettich Abdul wieder rollstuhlfähig und lebensfähig zu machen. Sie schälten seine Kopfhaut wie eine Kartoffel und stanzten aus der abgeschälten Haut kleine Inseln heraus, die sie zusammen mit der Spenderhaut eines tödlich verunglückten jungen deutschen Motorradfahrers auf seinen verbrannten Körper transplantierten. Sie brachen seine versteiften Gelenke und brachten sie in eine neue, günstigere Position.

In diesen Monaten, in denen Abdul auf der Intensivstation lag, besuchte ich ihn fast jeden Tag. Diese Besuche waren meine tägliche Dosis Elend. Mir war immer hundeübel, wenn ich aus der Klinik herauskam. Abdul machte Schreckliches durch und sah mit seinem geschälten Kopf, seinen Hauttransplantaten und seinen gebrochenen Knochen furchtbar aus – besonders wenn er unbekleidet in dem großen Bewegungsbad der Klinik planschte.

Aber er machte große Fortschritte. An Weihnachten konnte er im Rollstuhl bereits mit meiner Familie Weihnachten feiern, und an Ostern kam er mir auf dem Klinikgelände zum ersten Mal langsam, aber strahlend vor Glück auf Krücken entgegen. Etwa fünf Meter vor mir ließ er die Krücken fallen und ging mit todernstem Gesicht langsam auf mich zu. Als er bei mir angekommen war, stieß er einen leisen Freudenschrei aus, umarmte mich und begann leise zu weinen. Die Ärzte hatten ein medizinisches Wunder vollbracht.

Im Mai kehrte Abdul nach Peshawar zurück, um in einer Schule für Waisenkinder zu arbeiten. Er übte wieder dieselbe Tätigkeit aus, wie vor seiner schlimmen Verwundung, nur nicht in Afghanistan, sondern in Pakistan.

Abdul war und ist für mich ein Symbol des Leidens des afghanischen Volkes. Heute hat Abdul eine eigene Familie und drei Kinder. Er wohnt in einem kleinen Dorf in der Nähe von Dschalalabad im Süden Afghanistans und besitzt einen kleinen Laden für Stickereien.

X.

Das Schicksal Afghanistans ließ mich nicht mehr los. Vielleicht gerade weil die Mudschaheddin keine wirklichen Fortschritte machten. Mitte der 80er Jahre hätte kein führender westlicher Politiker auch nur einen Pfifferling für ihren Erfolg gegeben. Henry Kissinger erklärte noch 1985 gegenüber Peter Scholl-Latour, er „räume den afghanischen Mudschaheddin nicht die geringste Chance ein, sich gegen die sowjetische Übermacht zu behaupten".

Die Sowjetunion spielte in Afghanistan ihre ganze militärische Macht aus, während die Unterstützung der Mudschaheddin durch den Westen nach wie vor kümmerlich war. Niemand wollte sich so richtig mit der mächtigen Sowjetunion anlegen. Noch immer hatten die Mudschaheddin keine Chance gegen die sowjetischen Flugzeuge und Hubschrauber, da sich die USA nach wie vor weigerten, Luftabwehrraketen zur Verfügung zu stellen.

Manchmal hatte ich den Eindruck, einigen westlichen Politikern war es nicht unlieb, dass die Sowjetunion in Afghanistan in einen langen Krieg verwickelt war. Dass dieser Krieg jährlich Hunderttausende von Toten forderte, schien niemand zu interessieren. Was galt schon ein toter Afghane?

Auch in den pakistanischen Flüchtlingslagern reichte es weder zum Leben noch zum Sterben. Vor allem die Lage in den Krankenhäusern, in denen Hunderte durch Minen verstümmelte Kinder lagen, war nach Berichten aller Beobachter noch immer katastrophal.

Ich beschloss, noch einmal nach Afghanistan zu fahren, um die öffentlichen Scheinwerfer wieder auf die Tragödie des kleinen Volkes am Hindukusch zu lenken. Diesmal begleitete mich Claus Bienfait, ein hünenhafter 33-jähriger freier Journalist. Bienfait war ein wortkarger Mann und doch ein fabelhafter Reisebegleiter. Wenn Not am Mann war, war er immer da.

An Weihnachten 1984 flogen wir über Karatschi in die pakistanische Grenzstadt Quetta. Am 27. Dezember, dem 5. Jahrestag der sowjetischen Invasion, ging es per Jeep ins Landesinnere Afghanistans. Wir wollten uns zusammen mit afghanischen Mudschaheddin Richtung Kandahar durchschlagen. Es war bitterkalt. Begleitet wurde unser Jeep von einem offenen Pritschenwagen mit Mudschaheddin und einem weiteren Jeep mit einer uralten Flugabwehrkanone. Die Besatzung der beiden Fahrzeuge war für unsere Sicherheit verantwortlich.

Bienfait und ich trugen afghanische Landestracht und um die Schultern eine warme, braune Decke. Wir hatten uns einige Tage lang nicht rasiert, um auf der Fahrt durch die Grenzstädte nicht allzu sehr aufzufallen.

Stundenlang fuhren wir über felsige Eselspfade. Wir spürten jeden Knochen im Leib. Irgendwann verließen wir unsere schmale Route und holperten mit unseren Fahrzeugen in ein breites Flusstal. Links und rechts erhoben sich etwa 300 Meter hohe Hügel. Nach einer Weile hielt der Jeep an. Welch eine Wohltat! „Von hier aus müssen wir zu Fuß weiter gehen", erklärte Karim unser Dolmetscher. „Wir sind nur noch einige Kilometer von der sowjetischen Garnison Derwazagai entfernt. Die Russen dürfen unsere Wagen nicht hören." Wir waren mitten im Kampfgebiet. Ich schaute aus dem Jeep auf das friedliche Flusstal. Wie ein Kampfgebiet sah das nicht aus.

In diesem Augenblick schlug dicht neben dem Jeep eine Maschinengewehrsalve ein. Blitzschnell warfen wir uns aus dem Wagen auf die Kieselsteine des ausgetrockneten Flussbettes. Auch die Mudschaheddin stürzten aus ihrem Pritschenwagen. Mit ihrem durch Mark und Bein gehenden Kampfruf „Allah-u-akbar", Allah ist groß, stürmten einige von ihnen barfüßig wie Gämsen die Hügel hoch. Von einem Felsvorsprung sprangen sie zum nächsten und gaben sich gegenseitig Feuerschutz.

Neben uns schlugen immer wieder die Kugeln der sowjetischen Maschinengewehre ein. Dann begannen die Russen mit Granaten zu schießen, die mit dumpfem Getöse, Staubwolken aufwirbelnd, um uns herum einschlugen. Irgendjemand schrie: „In Deckung!" Aber das war leichter gesagt als getan. Der Ort war für einen Hinterhalt gut gewählt. Wir lagen wie auf einem Präsentierteller. Die niedrigen dürren Sträucher um uns herum gaben kaum Deckung. Fünfzig Meter vor uns standen höhere Büsche. Dort versuchten wir hinzurobben. Aber immer wieder mussten wir reglos liegen bleiben, weil Kugeln zehn Meter, fünf Meter, zwei Meter neben uns einschlugen.

Ich brüllte Bienfait zu: „Filmen, filmen, Sie müssen filmen!" Aber Karim, der einen Teil der Kameraausrüstung Bienfaits trug, war hinter einem großen Stein in Deckung gegangen und rührte sich nicht. Bienfait robbte unter Lebensgefahr zurück, riss Karim die Ausrüstung von der Schulter und begann zu filmen. Links und rechts schlugen weiter Kugeln und Granaten ein.

Inzwischen schossen auch die Mudschaheddin mit ihren Kalaschnikows zurück. Sie wussten, dass sie die sowjetischen Heckenschützen nicht treffen würden, aber sie wollten von uns und von ihren Kameraden, die die Anhöhe hinaufgestürmt waren, ablenken. Trotzdem schlugen immer wieder Maschinengewehrsalven neben uns ein. Endlich, etwa nach einer viertel Stunde, hörte das Geschützfeuer auf.

Der Anführer der Mudschaheddin Musafarudin, ein hochgewachsener, ruhiger, ernster Mann, befürchtete, dass die Gefahr trotzdem nicht vorüber war. Er rannte mit einigen seiner Männer auf uns zu und rief: „Sie müssen hier sofort weg! Sie müssen aus dem Kampfgebiet raus!" Niemand wusste, ob nicht in den nächsten Minuten sowjetischer Nachschub anrückte, ob nicht wieder die verdammten „gepanzerten Hunde" am Himmel auftauchten.

„Vergessen Sie nicht, was die Russen Ihnen für den Fall Ihrer Ergreifung angekündigt haben", brummte Musafarudin grimmig. Ich hatte keine Ahnung, woher er diese Geschichte kannte. Er duldete keinen Widerspruch. Wir mussten aus der Kampfzone raus.

Zwei Stunden warteten wir hinter einer Bergkuppe. Aus der Ferne erklang immer wieder Geschützfeuer. Das Gesicht Musafarudins wurde immer ernster. Er wusste, dass seine Leute in Gefahr waren.

Plötzlich hörten wir ein Motorengeräusch. Langsam kam der Pritschenwagen mit unseren Mudschaheddin wieder zurück. Als sie uns sahen, rissen sie ihre Maschinenpistolen hoch und brachen in lauten Jubel aus. Sie hatten die Sowjets, angeblich 40 Mann, in die Flucht geschlagen und einen Granatwerfer erbeutet.

Drei Russen seien verletzt und von ihren Kameraden fortgetragen worden. Aber auch die Mudschaheddin hatten zwei Verletzte. Einer war am Fuß verwundet worden und Khairullah, ein 21-jähriger Mudschahed, hatte einen Bauchschuss abbekommen. Er blutete stark. Musafarudins Gesicht war versteinert, als er Khairullahs Wunde untersuchte. Er setzte sich neben ihn und nahm seine Hand. Dann bat er den Fahrer, sehr langsam und sehr vorsichtig ins Basislager Alladscherga zurückzufahren.

Die Fahrt kam uns endlos vor. Wir wollten schnell ins Lager, um Khairullah medizinisch versorgen zu können, aber wir konnten wegen seiner Verletzung nicht wirklich zügig fahren. Plötzlich fing Musafarudin an, eindringlich auf Khairullah einzureden. Aber Khairullah antwortete nicht mehr, Khairullah war tot. Kreidebleich schloss Musafarudin Khairullahs Augen und vergrub sein Gesicht in seinen Händen. Niemand sprach ein Wort.

Wir verbrachten zehn Tage mit den Mudschaheddin in Afghanistan. Auf Eseln und im Jeep zogen wir durch das winterliche Land am Hindukusch. Die Mudschaheddin teilten ihr Brot mit uns und ließen uns in den bitterkalten Nächten in ihren primitiven Baracken direkt am Ofen schlafen. Sie erzählten uns von ihren Familien und von ihrem Traum von einem freien und friedlichen Afghanistan. Und immer wieder fragten sie, warum der Krieg in Afghanistan niemanden in der Welt interessiere, warum die Welt sie allein lasse.

Die Tage waren anstrengend. Die Kälte wurde immer klirrender, es gab wenig zu essen und auch das bisschen Essen, das ich zu mir nahm, hielt sich immer nur kurze Zeit bei mir auf: Ich hatte die Standardkrankheit westlicher Afghanistanbesucher, ich hatte Dauerdurchfall.

In einem kleinen Bergversteck präsentierten uns die Mudschaheddin zwei von neun russischen Gefangenen. Mit einem konnte ich mich lange unterhalten. Obwohl uns die Mudschaheddin mit Karim allein gelassen hatten, war der 22-jährige blonde, blauäugige Russe aus Leningrad sehr eingeschüchtert. Ich fragte ihn, wie er behandelt werde, und er sagte: „Gut." Natürlich wusste ich nicht, ob das wahr war. Als seine Einheit nach Afghanistan verlegt worden war, hatten ihm seine Offiziere angeblich gesagt, er müsse mithelfen, amerikanische und chinesische Eindringlinge aus Afghanistan zu vertreiben. Der junge Russe machte einen sehr sympathischen Eindruck. Wie fast alle jungen Soldaten war er nicht Täter, sondern Opfer des Krieges.

Der Kommandant, der für die Bewachung der Gefangenen zuständig war, versprach mir fest, den Jungen und die Mitgefangenen gut zu behandeln. Ich habe nie erfahren, was aus ihnen geworden ist.

Anschließend besuchten wir ein kleines Krankenhaus in der afghanisch-pakistanischen Grenzstadt Quetta. Es war überfüllt mit schwer verletzten Kindern, denen Minen die Beine abgerissen hatten oder deren Hände von sowjetischen Spielzeugbomben, die wie Schmetterlinge langsam vom Himmel geflattert waren, zerfetzt waren. Wir sahen Männer und Frauen, die von Napalmbomben entstellt waren, die Kampfflugzeuge auf ihre Häuser geworfen hatten, weil die Sowjets dort Mudschaheddin vermuteten. Der Stationsarzt Asmatullah Mohseni erzählte, dass die Versorgung mit Medikamenten nach wie vor katastrophal sei. Vor allem Schmerzmittel fehlten. Häufig müsse ohne Betäubung operiert werden. Die operierten Patienten erhielten höchstens zwei Schmerztabletten pro Woche.

Am letzten Tag besuchten wir ein Flüchtlingslager. Hier vegetierten 70 000 Menschen in kleinen durchlöcherten Zelten, die kaum Schutz gegen die bittere Kälte boten. Ein alter Mann, barfuß und fast blind, hob flehend die Hände und fragte: „Warum gebt Ihr uns nichts zu essen? Warum gebt Ihr uns keine Medikamente? Unsere Kinder sterben und erfrieren. Wir brauchen Decken und Zelte. Bitte helft uns!"

Als wir nach zehn Tagen wieder in unserem bequemen, warmen Flugzeug nach Deutschland saßen, dachte ich an das unglaubliche Elend, das wir hinter uns ließen. Wie viel Wunden, wie viel Not, wie viel Leid konnte ein Volk ertragen? Was musste geschehen, damit die Weltöffentlichkeit aufschrie und dieser Tragödie ein Ende bereitete? Ich wusste, dass dieser Aufschrei nie kommen würde. Niemand interessierte sich wirklich für das Land am Hindukusch. Auch in Bonn würde man Bienfaits und meinen Bericht über den Völkermord in Afghanistan mit höflichem Desinteresse zur Kenntnis nehmen und sich verwundert fragen, was ein deutscher Fernsehjournalist und ein deutscher Abgeordneter an Weihnachten in Afghanistan suchten.

Vier Wochen später kam meine Tochter Nathalie Malalai zur Welt. Als wir einige Wochen später auf der Schwäbischen Alb Nathalie Malalais Taufe feierten, stand in der letzten Reihe der Salmendinger Kirche ein afghanischer Mudschahed. Ich hatte ihn nicht eingeladen, aber irgendwie mussten die Afghanen von der Taufe erfahren haben. Seine Anwesenheit war der hilflose Versuch eines Dankeschöns dafür, dass Bienfait und ich eine Spendenaktion für Afghanistan initiiert und dafür an Weihnachten unser Leben riskiert hatten.

Am Tag der Taufe habe ich meiner Frau feierlich versprechen müssen, dass ich, solange Krieg war, nicht mehr nach Afghanistan reisen würde. Ich habe dieses Versprechen vier Jahre lang konsequent eingehalten.

XI.

Wir schrieben das Jahr 1988. Die Mudschaheddin hatten mittlerweile große militärische Fortschritte gemacht. Die USA hatten über 1000 Luftabwehrraketen vom Typ Stinger geliefert, die der sowjetischen Luftwaffe schwere Schläge versetzten. Und die afghanische Ratsversammlung Schura Ulema hatte Anfang 1988 eine Exilregierung gewählt. Zum Chef der Übergangsregierung war Professor Sibghatullah Mogaddedi, ein gemäßigter, vom Sufismus geprägter Freiheitskämpfer gewählt worden. Obwohl der Rückhalt für die kommunistische Regierung Nadschibullah täglich geringer wurde, weigerte sich die westliche Welt, Mogaddedis Exilregierung als legitimen Vertreter Afghanistans anzuerkennen.

Afghanische Freunde hatten mehrfach bei mir angefragt, ob ich noch einmal nach Afghanistan kommen könnte. Ich hatte höflich abgelehnt. Mein Bedarf an sowjetischem Raketen- und Granatenbeschuss war für alle Zeiten gedeckt. Außerdem war ich seit einem Jahr Stellvertreter Vorsitzender des Burda-Konzerns und ging in meiner Doppelbelastung als Abgeordneter und Verlagsmanager fast unter. Afghanistan, das war ein Kapitel aus der Vergangenheit, für immer und ewig abgeschlossen.

Bis im März 1988 ein afghanischer Familienvater unseren inzwischen sieben-, fünf- und vierjährigen Kindern Valérie, Frédéric und Nathalie folgenden Brief schrieb:

„Liebe Valérie, Nathalie und Frédéric: Ich bin Afghane und habe zwei Kinder Ismael und Asam. Ich habe meine Kinder und meine Frau seit fünf Jahren nicht gesehen. Wie Ihr wisst, genießt Euer Vater unter den afghanischen Mudschaheddin hohes Ansehen. Meine Bitte an Euch: Bewegt

Euren Vater dazu, dass er noch einmal nach Afghanistan reist und sich für eine friedliche Regelung des Afghanistan-Konflikts einsetzt. Vielleicht gelingt es Euch, das Herz Eures Vaters zu erweichen. In Afghanistan darf kein Tropfen Blut mehr fließen."

Meine Kinder wussten, dass in Afghanistan Krieg war. Sie hatten über ein Jahr lang mit mir und meiner Frau Abdul in der Tübinger Berufsgenossenschaftsklinik besucht. Ihr Votum war überraschend klar und eindeutig: „Papa, geh hin!" Meine Frau schwieg.

In den nächsten Tagen telefonierte ich mehrmals mit meinen afghanischen Freunden in Deutschland. Ich hatte eine Idee. Wir mussten im besetzten Afghanistan eine Kabinettssitzung der afghanischen Exilregierung veranstalten, um den Prozess ihrer Anerkennung zu beschleunigen.

Nach einigem Hin und Her willigte der Präsident der Exilregierung Mogaddedi ein und ließ mir über afghanische Freunde in Deutschland mitteilen, dass er alles organisieren werde.

Mitte April war ich zusammen mit dem Fotoreporter Michael Ebner, dem ARD-Korrespondenten Christoph Hörstel und dem Leiter meines Bonner Büros, meinem Freund Egon Weimer, wieder in Pakistan. Mogaddedi hatte mich – wie besprochen – offiziell zu seiner ersten Kabinettssitzung in Afghanistan eingeladen.

Ich verstand mich mit Mogaddedi sofort sehr gut. Er war ein kleiner, drahtiger, älterer Herr, der überhaupt nicht aussah wie ein Freiheitskämpfer. Er war Anführer der Afghan National Liberation Front, einer kleinen und trotzdem bedeutenden, gemäßigten Freiheitsbewegung. Er war keiner dieser verwegenen afghanischen Haudegen, sondern ein Mann des Ausgleichs, der Versöhnung. Dass er sich gegenüber den viel mächtigeren Mudschaheddinführern Hekmatyar, Rabbani, Sayaf, Mohammad Nabi und wie sie alle hießen, durchgesetzt hatte, war ein kleines Wunder.

Am späten Abend brachen wir mit zwei Jeeps in Peshawar auf, um in das Kampfgebiet Khost zu fahren. Von dort wollten wir weiter nach Urgun, wo die Kabinettssitzung stattfinden sollte.

Nach einer zehnstündigen, mühseligen Fahrt über Stock und Stein, bei der Professor Mogaddedi immer wieder über sein schmerzendes Hinterteil klagte, kamen wir endlich in der Nähe von Khost an. In unmittelbarer Nähe der Stadt übernachteten wir in einem Lager der Freiheitskämpfer. Die ganze Nacht über hörten wir den Donner der Geschütze. Immer wenn Bomben und Granaten einschlugen, färbte sich der Himmel glutrot. Keiner konnte schlafen. Acht Jahre dauerte dieser vergessene Krieg nun schon, und noch immer starben jeden Tag Menschen.

Wir hatten ursprünglich ins Stadtzentrum von Khost gewollt, aber die Kämpfe waren so heftig, dass wir diesen Plan schnell aufgegeben hatten.

Am nächsten Morgen um fünf Uhr brachen wir Richtung Urgun auf. Diesmal begleitete uns eine Kolonne von 12 Jeeps mit 30 Mudschaheddin. Vierzehn Stunden fuhren wir durch reißende Flüsse und wilde Schluchten. Mogaddedi schimpfte inzwischen wie ein Kesselflicker. Ihm tat wie uns allen inzwischen jeder Knochen weh. Innerlich verfluchte er wahrscheinlich längst die Idee dieser Kabinettssitzung mitten im Hindukusch.

Wenige Kilometer vor dem Hauptquartier Abdul Rassul Sayafs, in dem die historische Sitzung stattfinden sollte, versperrten uns hinter einem Felsvorsprung Hunderte verwegen gekleideter, wilder Gestalten den Weg. Sie sahen nicht wie Afghanen aus, manche hatten asiatische, manche arabische Züge. Als sie uns erblickten, machten sie den

Weg frei, rissen ihre Maschinenpistolen hoch und brüllten mit ihren kehligen Stimmen, die durch Mark und Bein gingen, immer wieder: „Allah-u-akbar!"

Ich fragte Mogaddedi erschrocken, wer die wilde Horde war. Er erklärte mir etwas verlegen, dass es sich um islamische Freiheitskämpfer handelte, die aus aller Welt nach Afghanistan gekommen seien, um die Mudschaheddin zu unterstützen. Ich wusste damals noch nicht, dass es sich um fundamentalistische Extremisten und Abenteurer handelte, die mit Hilfe Saudi-Arabiens, Pakistans und der CIA aus über 40 muslimischen Ländern nach Afghanistan gebracht worden waren und aus denen Bin Laden später al Qaida formte.

Als wir im Hauptquartier Sayafs ankamen, bot sich uns ein farbenfrohes Spektakel: Über 100 buntgekleidete, kühne und doch würdig aussehende Führer des afghanischen Widerstands, Paschtunen, Tadschiken und Hazara, Männer sunnitischen und schiitischen Glaubens, standen gestikulierend herum und warteten auf ihren Präsidenten und auf die Delegation aus Deutschland.

Jahrhundertelang hatten sich ihre Völker bekriegt. Jetzt aber gab es etwas, was sie zusammenschweißte: Sie wollten gemeinsam ihr Land befreien.

Die Afghanen hatten immer wie ein Mann zusammengehalten, wenn sie von außen angegriffen wurden. Die Griechen Alexanders des Großen, die Perser, die Mongolen unter Dschingis Khan, die Briten und die Sowjets hatten das leidvoll erfahren müssen. Afghanistan, diese Drehscheibe zwischen Europa und Asien, war für alle Großmächte, die es erobern wollten, zum Friedhof geworden. Schon Alexander der Große hatte gewarnt: „Afghanistan kann man durchqueren, erobern kann man es nicht." Afghanische Tapferkeit und das über 300 Kilometer breite Gebirge des

Hindukusch mit seinen bis zu 7500 Meter hohen Gipfeln machten das Land unbesiegbar. Man kann gegen die Afghanen Schlachten gewinnen, aber keine Kriege.

Ich musste jeden der anwesenden Afghanen umarmen. Das gehörte offenbar zur Begrüßungszeremonie. Danach begann die erste Kabinettssitzung der Exilregierung auf afghanischem Gebiet. Es war ein historischer Augenblick.

Die Sitzung verlief bemerkenswert diszipliniert. Wahrscheinlich war nicht nur Mogaddedi von der beschwerlichen Anreise völlig erschöpft. Als wir uns nach einigen Stunden wieder trennten und die Führer der Mudschaheddin wieder in ihre klapprigen Jeeps stiegen, kam Sayaf noch einmal zu mir, legte lachend seine riesigen Hände auf meine Schultern und erklärte: „Sagen Sie Ihren Leuten, nur Afghanen können Afghanen wirklich besiegen. Auf Dauer hat kein Eroberer in Afghanistan eine Chance." Dann entschwand auch er mit seinem Jeep in einer großen Staubwolke.

Auch für uns ging es weiter, diesmal Richtung Peshawar. Die nicht enden wollende Fahrt dauerte 16 Stunden. Erst um fünf Uhr morgens erreichten wir erschöpft und zerknittert die pakistanische Flüchtlingsstadt Peshawar. Mogaddedi hatte aufgehört zu schimpfen. Er war zu müde. Ich war sicher, dass er vorerst keine Kabinettssitzung mehr in Afghanistan abhalten würde.

Mittags starteten wir – diesmal ohne Mogaddedi – Richtung Dschalalabad, der damals am heißesten umkämpften Stadt Afghanistans. Ich wollte mir einen Eindruck von der militärischen Lage verschaffen. Wie weit waren die Mudschaheddin schon, wie stark waren die Sowjets noch? Diesmal hatten wir nur vier Fahrzeuge dabei, aber dafür die besten Männer von Mogaddedi. Die Fahrt ging über den Khaiberpass im Hindukusch, hinunter nach Afghanistan. Mit jedem Kilometer, den wir uns Dschalalabad näherten, stieg die Spannung. Noch schützten uns die Bäume einer Allee vor den über uns kreisenden MiGs. Als wir an einer Baumlichtung kurz anhielten, bekamen wir sofort die Quittung: 500 Meter rechts der Straße schlug eine Bombe ein. Eine riesige Rauchwolke markiert die Einschlagstelle. Also sofort weiter!

Kurz bevor der Baumschutz endete, bereiteten wir unsere Jeeps auf den letzten gefährlichen Teil der Strecke vor. Mit nassem Lehm, den wir aus einem Tümpel holten, verkleisterten wir die Wagen, damit sie in der Sonne nicht glänzten. Über das Ganze zogen wir ein Tarnnetz. Letzte Instruktionen. Vor uns lagen fünf Kilometer ungeschützter Straße, ohne jede Deckung. Unser Ziel: eine Stellung der Mudschaheddin, zwei Kilometer vom Flughafen von Dschalalabad entfernt.

Die Hälfte unserer Begleiter blieb zurück. Dann ging es mit Vollgas auf die „Straße des Todes". Nur nicht anhalten – durchfahren! Hunderte afghanischer Freiheitskämpfer hatten in den letzten Wochen auf diesem kurzen Straßenstück ihr Leben gelassen. Über uns das Pfeifen der MiGs. Es war eine Höllenfahrt. Alle paar Meter kamen wir an einem zerbombten Fahrzeug vorbei. Mehrfach mussten wir von der Straße herunter, weil die Brücken gesprengt waren. Und immer wieder das Geräusch der MiGs. Die Sekunden wurden zur Ewigkeit.

Endlich sahen wir das Lager: noch hundert Meter. Plötzlich stoppte unser Fahrzeug mitten auf der Straße. Völlig sinnlos. Wir waren die leichteste Zielscheibe der Welt. Irgendeiner im Wagen hatte „stopp" gerufen, um zu filmen. Ich brüllte den Fahrer an: „Runter von der Straße!" Aber der bekam den Gang nicht rein. Zweieinhalbtausend Meter vor uns lag der von den Sowjets besetzte Flughafen, über uns flogen zwei MiGs. Wieder ein Bombeneinschlag – diesmal nur wenige hundert Meter links von uns. Endlich ging es weiter. Wir rasten ins Lager. Und wieder schlug eine Bombe ein, hundert Meter vom Lager entfernt. Die MiGs hatten sich eingeschossen.

Wir blieben eine Stunde in dem Lager, das die Mudschaheddin einige Wochen vorher von den Kommunisten erobert hatten. Die Stunde kam uns länger vor als ein Tag. Wir wollten bleiben und uns die militärische Ausrüstung des ursprünglich sowjetischen Lagers ansehen. Aber der Kommandant der Freiheitskämpfer war nicht mehr bereit, die Verantwortung zu übernehmen: „Die da oben wissen doch längst, dass Sie hier sind! An der Stelle, an der Sie stehen, sind vor vier Tagen zwei englische Journalisten getötet worden. Wir müssen zurück."

Also fuhren wir zurück, über uns noch immer unser tödliches Begleitkommando, die MiGs. Als wir den Schutz der Bäume wieder erreichten, nahmen uns die zurückgebliebenen afghanischen Freiheitskämpfer jubelnd in die Arme. Sie hatten auf dieser „Straße des Todes" zu viele Freunde verloren. Heute weiß ich, dass dieser Frontbesuch völliger Irrsinn war.

Nachts waren wir wieder in Peshawar. In kaum einer Stadt der Welt war so viel Elend konzentriert wie hier. 350 000 Flüchtlinge, Tausende schwer verletzter Afghanen in erbärmlich primitiven Krankenhäusern. Die Lage war noch immer genauso hoffnungslos wie vor einigen Jahren.

Ich werde die Krankenhäuser Peshawars mein Leben lang nicht vergessen können: die jungen Männer, denen Tretminen die Beine abgerissen hatten, und immer wieder diese Kinder, denen Spielzeugbomben die Arme und das Gesicht zerfetzt hatten. Bilder des Grauens wie vor acht Jahren, vor vier Jahren, Bilder, die mir nie mehr aus dem Kopf gehen.

XII.

Wenige Tage später saß ich wieder in meinem Bonner Abgeordnetenbüro. Ich schrieb Artikel, gab Interviews und rief zu Spenden auf. Aber das Echo war gering. Afghanistan interessierte 1988 noch weniger als 1980. Jeden Tag riefen mich meine Kinder an und fragten mich, was ich für den Frieden in Afghanistan erreicht hätte. Ich antwortete: „Nicht viel. Wie immer." Ich glaube, meine Kinder waren ziemlich enttäuscht von mir.

Obwohl die Mudschaheddin inzwischen von den USA mit modernen Waffen ausgestattet worden waren, schien der Krieg endlos zu werden. Die meisten Kommentatoren der westlichen Welt gingen davon aus, dass die Sowjetunion das strategisch wichtige Afghanistan nie aufgeben werde.

Und doch kam alles anders. Der neue Generalsekretär der KPdSU, Michail Gorbatschow, ein Mann, der so ganz anders war als seine Vorgänger, wollte seine jungen Soldaten nicht länger in Afghanistan verbluten lassen. Überraschend zog er im Februar 1989 die sowjetischen Truppen aus Afghanistan zurück.

Die Afghanen hatten wieder einmal eine Weltmacht in die Knie gezwungen. 1,5 Millionen afghanischer Männer, Frauen und Kinder waren in diesem Krieg gestorben, 1 Million Mudschaheddin hatten ihr Leben verloren.

Mehr als zehn Jahre später erzählte mir Gorbatschow bei einem Abendessen in Berlin, er habe den Krieg gegen Afghanistan nie gewollt. Breschnew habe die Invasion Afghanistans hinter dem Rücken des Politbüros praktisch im Alleingang angezettelt.

Der innerafghanische Krieg aber nahm 1989 kein Ende. Die von den Sowjets eingesetzte Regierung Nadschibullah

und deren reguläre Armee rangen weiter mit den Mudschaheddin um die Macht. Von nun an kämpften Afghanen gegen Afghanen.

An diesem dreijährigen Bürgerkrieg zerbrachen nicht
nur die Kommunisten, sondern auch die Mudschaheddin.
Als Nadschibullah 1992 gestürzt wurde, war in Afghanistan
nahezu alles zerstört. Es gab keine funktionsfähige Armee
mehr, keine funktionsfähige Polizei, keine funktionsfähige
Verwaltung. Alle Strukturen waren vernichtet. Im ganzen
Land herrschte Anarchie.

Die westlichen Regierungen, insbesondere aber die USA
unter ihrem damaligen Präsidenten George W. Bush sen.,
die die Mudschaheddin in den letzten Jahren kräftig unterstützt hatten, zogen sich zurück und ließen die Afghanen
allein. Afghanistan versank im Chaos. Zwar waren Mogaddedi und später Rabbani zum Präsidenten gewählt und
Hekmatyar Premierminister geworden – aber ohne enga-
gierte Auslandshilfe hatte das total zerstörte Land keine
Chance.

Der Kampf aller gegen alle dauerte unverändert an. Jetzt
ging der Kampf nicht mehr um die Befreiung Afghanistans
von der Sowjetunion oder von den Kommunisten. Jetzt
wurde wie im Europa des Dreißigjährigen Krieges nur
noch um die Macht gekämpft. Die Leiden der Bevölkerung
und die Enttäuschung der Menschen Afghanistans über die
sich gegenseitig befehdenden Warlords, Mudschaheddin-
führer, Stammesfürsten und Drogenbarone wurden immer
größer.

Als 1994 die radikal-islamistischen Taliban quasi aus
dem Nichts auftauchten und mit massiver Unterstützung
des pakistanischen und amerikanischen Geheimdienstes in
Afghanistan einmarschierten, hatten sie leichtes Spiel. Die
Taliban waren überwiegend jugendliche Afghanen, Flücht-

lingskinder, die in ihrem Leben nur Not, Tod und Zerstörung kennen gelernt hatten. In den Koranschulen Pakistans waren sie indoktriniert und fanatisiert worden. Keiner hatte sie vorher gekannt, keiner der Kriegsherren Afghanistans hatte sie auf seiner Rechnung. Und doch fegten sie die ausgezehrten und unfähigen Bürgerkriegsparteien weg und eroberten innerhalb von zwei Jahren den größten Teil Afghanistans. Sie waren die Wunschregierung der USA, Pakistans und Saudi-Arabiens.

XIII.

Irgendwann musste ich im Sitzen eingeschlafen sein. Als ich aufwachte, war es noch dunkel. Ich schaltete das Radio ein und hörte immer wieder die Berichterstattung über die erste Bombennacht. Nun also bombardierten *wir* das kleine Afghanistan.

Ich schämte mich. Was konnte die afghanische Bevölkerung für die aus Pakistan importierten Taliban, was konnten sie für al Qaida, diese Terrororganisation, die überwiegend aus bis an die Zähne bewaffneten Ausländern bestand? Trugen die USA nicht viel mehr Schuld an der Entstehung dieser schrecklichen Desperado-Bewegungen als die Afghanen?

Die CIA unter William J. Casey hatte ab 1987 den pakistanischen Geheimdienst ISI tatkräftig dabei unterstützt, Extremisten und Terroristen aus allen muslimischen Ländern der Welt nach Afghanistan zu karren, um die Sowjetunion zu bekämpfen. Nur zwei Jahre später hatte Bin Laden, damals noch enger Verbündeter der USA, aus diesen von der CIA und Saudi-Arabien finanzierten muslimischen Söldnern seine Terrororganisation al Qaida geschaffen.

Genauso leidenschaftlich hatte sich die CIA engagiert, um fünf Jahre später die in den Flüchtlingslagern Pakistans aufgewachsenen Koranschüler, die sich Taliban nannten, in Kabul an die Macht zu bringen! Die USA erhofften sich von dieser radikal fundamentalistischen Steinzeittruppe stabile politische Verhältnisse in Afghanistan, um endlich quer durch Afghanistan eine Erdgasleitung von Turkmenistan bis zum Indischen Ozean bauen zu können.

Die Taliban und al Qaida waren, wie Hamid Karsai zutreffend festgestellt hatte, eine „Besatzungsmacht", die den

Afghanen von außen aufgezwungen worden war. Das afghanische Volk war nie gefragt worden, ob es die Taliban oder al Qaida wollte. Die USA bestraften die Afghanen mit ihren Bombenangriffen letztlich für eine Tat, die sie selbst begangen hatten. Der Täter als Richter wie in Kleists „Dorfrichter Adam" – wie kam es, dass die Weltöffentlichkeit darüber fast kein Wort verlor?

George W. Bush hatte nach dem 11. September 2001 nie wirklich ernsthaft versucht, das Afghanistan-Problem politisch zu lösen. Für ihn war der Krieg gegen Afghanistan nicht Ultima Ratio, sondern Prima Ratio. Er wollte – auch zur Beruhigung der eigenen Bevölkerung – ein Exempel statuieren, koste es, was es wolle.

Da spielte es auch keine Rolle, dass Afghanistan trotz der Trainingslager von al Qaida gar nicht das Zentrum des globalen Terrorismus war, und dass keiner der 19 Selbstmordattentäter aus Afghanistan stammte. Keiner der Führer des internationalen Terrorismus ist Afghane. George W. Bush wusste genau, dass die Paten des dezentral organisierten globalen Terrorismus in Saudi-Arabien, in den arabischen Emiraten und in Ägypten saßen. Aber welcher amerikanische Präsident legt sich schon militärisch mit den reichen Erdölstaaten an, solange deren Öl im gewünschten Maße sprudelt? Afghanisches Blut ist billiger, viel billiger.

Die Bombardierung der Städte und Dörfer Afghanistans, in denen sich die Führung von al Qaida mit Sicherheit nicht aufhielt, war nicht nur ungerecht, sondern auch unklug und kontraproduktiv. Sie trieb Bin Laden Tausende neuer Sympathisanten zu. Je erfolgreicher das reichste Land der Welt eines der ärmsten Länder der Welt in Grund und Boden stampfte, desto größer wurde der Zulauf für Bin Ladens al Qaida. Noch nie war es für muslimische Terroristen so leicht, potentielle Selbstmordattentäter anzuwerben wie nach dem 7. Oktober 2001, dem Tag, an dem die Bombardierung der Städte Afghanistans begann. Ungerechtigkeit ist der fruchtbarste Nährboden des Terrorismus.

Die Idee, den internationalen Terrorismus mit einem konventionellen Krieg zu bekämpfen, war und ist eine katastrophale intellektuelle Fehlleistung. Hass kann man nicht mit militärischen Mitteln besiegen. Krieg ist das unintelligenteste Mittel zur Bekämpfung des Terrorismus. Papst Julius II. hat einmal gesagt: „Ihr würdet euch wundern, wenn ihr wüsstet, mit wie viel Unverstand die Welt regiert wird." Hätte er die amerikanische Antiterror-Strategie gekannt, hätte er sich noch drastischer ausgedrückt.

Mein Freund Abdul Haq, einer der angesehensten Paschtunenführer, der die Taliban zutiefst verachtete, hatte die USA bei seinem Besuch in Washington und in zahlreichen Interviews geradezu flehentlich gebeten, auf Bombenangriffe auf Afghanistan zu verzichten. Sein Plädoyer hieß: „Lasst uns das Talibanproblem und das Problem von al Qaida selbst lösen." Auch er wusste. Nur Afghanen können Afghanen dauerhaft besiegen.

Natürlich konnten die USA wie die Sowjetunion einzelne Städte erobern, Kabul, Mazar-i-Sharif oder Kandahar, aber den Krieg und vor allem den Frieden würden sie durch ihre Bombardierungen nicht gewinnen. Die Taliban, die mehr Esel besaßen als Panzer, konnten sich jederzeit in die Berge des Hindukusch zurückziehen, in ihren Bergdörfern untertauchen und abwarten. Auch die Sowjetunion hatte fast ein Jahrzehnt lang als Sieger des Afghanistankrieges gegolten und am Ende doch verloren.

Die Bombardierung ziviler Ziele in Afghanistan war anders als die Bombardierung der Trainingscamps von al Qaida auch moralisch nicht zu rechtfertigen. Wir werden nie genau erfahren, wie viele afghanische Männer, Frauen und Kinder im Hagel der amerikanischen Bomben starben. Marc Herold, ein amerikanischer Professor aus New Hampshire, hat aufgrund amerikanischer Berichte errechnet, dass durch die amerikanisch-britischen Bomben pro Tag durchschnittlich 65 afghanische Zivilpersonen ihr Leben verloren. Vor allem durch die Dauerbombardierung von Kunduz und Kandahar waren bis Dezember 2001 wahrscheinlich mehr als 6000 unschuldige Zivilpersonen ums Leben gekommen – darunter unzählige Kinder.

Aber Zahlen sind nicht entscheidend. Die Tötung jedes einzelnen Kindes durch Bomben ist ein Verbrechen. George W. Bush hat Recht, wenn er sagt, man müsse das Böse mit Härte bekämpfen. Aber afghanische Kinder sind nicht das Böse. Kinder sind nie unsere Feinde.

XIV.

Der Bombenkrieg gegen Städte und Dörfer ist immer auch ein feiger Krieg, egal ob Deutsche, Briten, Franzosen oder Amerikaner am Steuerknüppel der Bomber sitzen. Es ist feige, eine Stadt aus sicherer Höhe so lange zu bombardieren, bis sich nichts mehr rührt, um dann ohne Risiko einmarschieren zu können. Keine Regierung der Welt hat das Recht, bewusst den Tod von Tausenden Zivilpersonen in Kauf zu nehmen, nur um ja nicht das Leben eines einzigen eigenen Soldaten zu riskieren. Dass die amerikanische Führung lieber 100 Talibankrieger tötete, als einen einzigen GI zu gefährden, war verständlich. Dass sie jedoch glaubte, das Leben der afghanischen Zivilbevölkerung sei weniger wert als das Leben amerikanischer Soldaten, war nicht in Ordnung.

Die amerikanische Regierung und amerikanische Intellektuelle haben argumentiert, der Mord an fast 3000 Zivilpersonen des World Trade Centers sei nicht mit der Tötung afghanischer Zivilpersonen vergleichbar. Die Tötung der Menschen im World Trade Center sei Absicht gewesen, die Tötung afghanischer Frauen und Kinder nicht. Diese Argumentation versucht den Eindruck zu erwecken, die Tötung afghanischer Zivilpersonen sei ungewollt, ohne Verschulden der amerikanischen Führung erfolgt.

Aber das ist nicht die Wahrheit. Als die amerikanische Führung den Befehl zur Bombardierung afghanischer Städte und Dörfer gab, hat sie den Tod unzähliger Zivilpersonen bewusst in Kauf genommen. „Bewusste Inkaufnahme" gilt in den Rechtssystemen aller zivilisierten Staaten, also auch in den USA, als Vorsatz. Wer den Tod anderer Menschen bewusst in Kauf nimmt, tötet nicht fahrlässig, sondern vorsätzlich. Die 6000 Männer, Frauen und Kinder, die bei den Bombenangriffen der USA und Großbritanniens starben, sind vorsätzlich getötet worden.

Jedes afghanische Kind, jede afghanische Frau, jeder afghanische Mann ist genauso viel wert und verdient genauso viel Respekt wie ein amerikanischer, britischer, französischer oder deutscher Soldat. Wenn das nicht mehr gilt, sollten wir das Wort Menschenwürde nie mehr in den Mund nehmen.

Die Afghanen sind das geschundenste Volk der Welt. In keinem Land der Welt gibt es mehr Waisenkinder, mehr Witwen, mehr durch Minen verstümmelte Kinder. Fünf Millionen Afghanen sind seit Jahren, seit Jahrzehnten auf der Flucht. Das ganze Land ist eine offene Wunde.

Die Zivilbevölkerung Afghanistans ist nicht der Hauptschuldige dieses Desasters. Afghanistan war bis Ende der siebziger Jahre ein märchenhaftes orientalisches Land. Kaum ein Hippie hatte es versäumt, auf dem Weg nach Goa Kabul einen Besuch abzustatten, durch die zauberhaften Bazare zu schlendern und in den Teestuben der Chicken Street zu versinken. Dieses Märchen aus „Tausendundeinernacht" endete erst, als am 27. Dezember 1979 die sowjetische Armee einmarschierte und das Land in Schutt und Asche legte. Von diesem Überfall hat sich Afghanistan nie mehr erholt.

Die Menschen in Kabul, Herat und Mazar-i-Sharif waren fassungslos, als im Oktober 2001 erneut Bomben auf sie herabregneten, Bomben ausgerechnet von jenem Land, das ihnen im Kampf gegen die Sowjetunion immer gesagt hatte, es sei sein engster Freund.

Noch fassungsloser waren sie, als nach den Bomben, die ihre Häuser und ihre Familien zerstörten, auch noch amerikanische Essenspäckchen vom Himmel regneten. Man stelle sich die Wirkung dieser Doppelstrategie einmal am eigenen Leibe vor. Wie würden wir reagieren, wenn kurz nach der Zerbombung unserer Häuser Essenspäckchen mit der friedlichen Botschaft vom Himmel segelten: „Seht her, wir sind eure Freunde, wir wollen nur euer Bestes!" Kann man ein Volk schlimmer verhöhnen?

Ich gebe zu, ich bin sehr subjektiv, wenn es um die Tötung unschuldiger Menschen geht. Nie werde ich dem muslimischen Terrorismus die Tötung Tausender unschuldiger Menschen im Word Trade Center verzeihen. Aber ich werde auch nie zur Tötung Unschuldiger durch amerikanisch-britische Bombenangriffe schweigen. Wir haben nicht das Recht, die Moral aus der Außenpolitik zu verbannen. Die Aussage „Im Krieg geschehen nun mal schreckliche Dinge" passt zu einem Kriegsverbrecher wie Milošević. Zur westlichen Wertegemeinschaft passt sie nicht.

Als während des Golfkrieges Bagdad bombardiert wurde, sagte Bundeskanzler Schröder: „Wir alle können kaum schlafen, weil hier ein ganzes Volk kollektiv für seine diktatorische Regierung bestraft wird." Wieso konnte der deutsche Bundeskanzler dann beim Afghanistankrieg ruhig schlafen? Wieso wollte die deutsche Regierung unbedingt mitmachen bei diesem Krieg, der doch wiederum Unschuldige für ihre diktatorische Regierung bestrafte? Darf man ein ganzes Land plattbomben, nur um einen einzigen Terroristen zu fangen? Muss man wirklich alle moralischen Maßstäbe an der Garderobe der Macht abgeben?

Die eilfertige Unterwürfigkeit, mit der Politiker aller deutschen Parteien die Beteiligung Deutschlands am Afghanistankrieg wie Sauerbier anboten, machte mich fassungslos. Echte Freunde sind nie unterwürfig. Für mich war es kein Zeichen von Freundschaft und Bündnistreue, die USA in diesem ungerechten, unmoralischen und unklugen

Krieg gegen die Städte und Dörfer Afghanistans „uneingeschränkt" zu unterstützen.

Natürlich waren wir als Freunde verpflichtet, den USA
nach dem 11. September zu helfen, so wie uns die USA unzählige Male als Freunde geholfen hatten. Die Frage war
nur: Wie weit gehen die Pflichten eines Freundes? Muss
man als Freund auch Mittäter werden?

Wenn das Kind meines besten Freundes getötet wird,
muss ich mich in der Tat an seine Seite stellen und mithelfen, den Täter zu fassen und zur Rechenschaft zu ziehen.
Aber meine Freundespflicht bedeutet nicht, dass ich meinen
Freund unterstützen muss, unschuldige Zivilpersonen zu
töten – die Kinder oder Verwandten des Täters oder Menschen, die zufällig im gleichen Land leben wie er. Das hat
mit Freundschaft nichts, aber auch gar nichts zu tun.

Der Afghanistankrieg fand in der westlichen Welt trotzdem erstaunlich breite Zustimmung. Die Bombenangriffe
auf Städte und Dörfer, die „unabsichtliche" Zerstörung
von Krankenhäusern und Moscheen und die zunehmende
Zahl ziviler Opfer wurden als unvermeidbare „Kollateralschäden" abgetan, obwohl bei manchen Angriffen die Zahl
der ausgeschalteten Taliban- und Al-Qaida-Kämpfer im
Verhältnis zu unbeteiligten zivilen Opfern nach UNO-An-
gaben unter einem Prozent lag. Kaum jemand regte sich darüber auf. Das Weltgewissen hatte sich schlafen gelegt.

XV.

Was konnte man tun, um diesen Wahnsinn zu stoppen. Ich wusste, es war schwer, eine einmal angelaufene Kriegsmaschinerie anzuhalten. Trotzdem gab es eine kleine Chance: Anfang November 2001 hatten die Taliban zur Überraschung aller internationalen Beobachter – mich eingeschlossen – in einer Blitzaktion die Städte Mazar-i-Sharif und Kabul geräumt. Bis heute ist unbekannt, welches die Gründe für diesen plötzlichen Rückzug waren.

Sicher hatten die amerikanischen Dauerbombardements, diese Mischung aus Flächenbombardements und Präzisionsbeschuss, eine Rolle gespielt. Aber das allein konnte es nicht gewesen sein. Aus Mazar-i-Sharif waren die Taliban ausmarschiert, obwohl sie die Angriffe des Usbeken-Führers General Dostum bis zuletzt mit Leichtigkeit zurückgeschlagen hatten. Dostum war vom Abmarsch der Taliban derart überrascht, dass er Stunden brauchte, um in das aufgegebene Mazar-i-Sharif, die heilige Stadt der afghanischen Schiiten, einzurücken.

Die Bombenangriffe hatten außerdem relativ wenig Opfer unter den Taliban verursacht. Nach Berichten der Offiziere Dostums waren die Taliban vom Lärm der anfliegenden US-Bomber meist so rechtzeitig gewarnt worden, dass sie ihre Stellungen verlassen und sich in Sicherheit bringen konnten. Die Soldaten der Nordallianz fanden nur wenige Opfer in den aufgegebenen Talibanstellungen.

Was also waren die wahren Gründe für den überraschenden Rückzug der Taliban? War es die nüchterne Erkenntnis, dass man die großen Städte Afghanistans gegen die gigantische Luftüberlegenheit der Hyper-Power USA auf Dauer nicht halten konnte? War es die Erkenntnis, dass die paschtunischen Taliban in der Bevölkerung Nordafghanistans ohnehin keinen Rückhalt mehr hatten? War es eine Panikentscheidung Mullah Omars? Oder wollten die Taliban in einer überraschenden Anwandlung von Rücksichtnahme die Bevölkerung schonen, wie sie offiziell behaupteten?

Ich weiß es bis heute nicht, wahrscheinlich weiß es niemand außer dem engsten Führungskreis um Mullah Omar. Für die Taliban wurde diese Entscheidung zum militärischen Fiasko. Der überwiegende Teil der Bevölkerung auch im südlichen Teil Afghanistans wandte sich nun von ihnen ab.

Die Truppen der Nordallianz nutzten die Flucht und die Kapitulation der Taliban zu furchtbarer Rache. Die Massaker, die in jenen Tagen – teilweise unter den Augen der Amerikaner – an den fliehenden oder sich ergebenden Talibantruppen begangen wurden, sind ein düsteres Kapitel des Afghanistan-Krieges.

Zwar war die Führung der Taliban keine Träne wert. Aber jene jungen Taliban, die in den kalten November- und Dezembertagen 2001 in Mazar-i-Sharif und anderen Städten Afghanistans unter Bruch aller Regeln des Kriegsrechts und aller Kapitulationszusagen grausam umgebracht wurden, gehörten nicht zur Führung. Sie waren meist einfache Bauernbuben, die zwangsrekrutiert worden waren oder die sich für einen Hungerlohn bei der regulären Armee Afghanistans verdingt hatten, um ihre Familien ernähren zu können. Bin Laden kannten die meisten nur vom Hörensagen oder gar nicht.

Sie wurden mit Knüppeln totgeschlagen, erschossen, man schnitt ihnen die Kehle durch oder stopfte sie in Container und ließ sie darin ersticken. Die meisten Gräueltaten beging wie immer Usbekenführer General Dostum, heute stellvertretender Verteidigungsminister Afghanistans. Es ist eines der traurigsten Beispiele westlicher Doppelmoral, dass der Westen mit diesem Massenmörder zusammenarbeitet, anstatt ihn an ein internationales Kriegsgericht auszuliefern.

Wer den Terroristen Bin Laden glaubwürdig bekämpfen will, kann nicht gleichzeitig den Terroristen Dostum mit einem Staatsamt belohnen. Dostums Truppe ist die meistgehasste Mörderbande Afghanistans. Diesen Schlächter zum stellvertretenden Verteidigungsminister zu machen ist das Gleiche, als wenn man einen Mafiaboss zum Polizeipräsidenten ernennen würde.

Trotzdem hatte die amerikanische Regierung mit der Flucht der Taliban aus Kabul, Mazar-i-Sharif und Herat einen wichtigen militärischen Teilerfolg errungen. Der Superschwergewichtler USA hatte wieder einmal einen Fliegengewichtler nach wenigen Runden k. o. geschlagen. Fünfhundert amerikanische Hightech-Kampfflugzeuge hatten fünf afghanische Uralt-MiGs ausgeschaltet, die Zwei-Milliarden-Dollar-Bomber der USA hatten sich gegen die 200-Dollar-Kalaschnikows der Taliban durchgesetzt.

Eine Welle patriotischer Begeisterung ging durch Amerika. Präsident Bush war plötzlich ein Kriegsheld, seine Popularitätswerte erreichten Rekordhöhen. Zwar beherrschten die Taliban noch immer den Süden Afghanistans und die Städte Kandahar und Dschalalabad. Aber es war erkennbar, dass die USA militärisch auf der Siegerstraße waren.

In dieser Situation hoffte ich, wie zahlreiche westliche Politiker und Publizisten, dass die USA sich zu einer Feuerpause bereit erklären könnten. Ich plädierte daher mit Nachdruck dafür, den Taliban eine Feuerpause anzubieten, in der sie Gelegenheit bekommen sollten, Bin Laden an ein neutrales Land auszuliefern und der Bildung einer breit angelegten Koalitionsregierung zuzustimmen, an der alle politischen Gruppierungen Afghanistans beteiligt waren. Diese

Regierung sollte – so mein Vorschlag – von der Schura Ulema ernannt werden.

Man hätte damit vier Dinge erreichen können:

- ein Ende des Blutvergießens unter der afghanischen Zivilbevölkerung;
- die Ablösung der Talibanregierung durch eine von Afghanen und nicht von Amerikanern eingesetzte Regierung;
- die Auslieferung Bin Ladens durch die Taliban. Die Taliban hatten das kurz zuvor noch einmal ausdrücklich angeboten. Sie waren die Einzigen, die Bin Laden finden und ausschalten konnten. Es war klar, dass die von den Taliban angebotene Auslieferung Bin Ladens nur über eine Entmachtung Mullah Omars möglich war. Aber dies wäre ein weiterer Vorteil gewesen;
- eine Demonstration amerikanischer Gerechtigkeit. Die USA hätten durch ein klug vorbereitetes und klug flankiertes Disengagement der muslimischen Welt zeigen können, dass sie nicht nur für Härte, sondern auch für Gerechtigkeit standen, und dass sie bereit waren, den Krieg zu beenden, sobald ihr Hauptkriegsziel, die Ausschaltung Bin Ladens, erreicht war.

Doch die siegestrunkenen Falken in Washington wollten sich durch derartige Vorschläge nicht von der vermeintlichen Siegesstraße abbringen lassen. Sie glaubten, durch eine Fortsetzung ihres „erfolgreichen Krieges" innerhalb kürzester Zeit sowohl Mullah Omar als auch Bin Laden „tot oder lebendig" der Weltöffentlichkeit vorführen zu können. Und sie wurden nicht müde, dies über alle Medien anzukündigen.

In jenen Tagen, als die amerikanischen Bombengeschwader die fliehenden Taliban vor sich hertrieben, als alle Welt von einem glanzvollen Sieg der USA sprach und die Ergreifung Bin Ladens nur noch eine Frage von Tagen, ja von Stunden zu sein schien, wuchs die Zahl der Anhänger der Antiterrorstrategie des amerikanischen Präsidenten ins Unermessliche. Alle wollten auf der Seite des Siegers sein.

Und doch gehört der Versuch, den internationalen Terrorismus mit konventionellen Kriegen zu bekämpfen, zu den größten Torheiten, die die westliche Politik jemals begangen hat. Bombenleger kann man nicht mit Armeen besiegen.

XVI.

Ich teile die Meinung des amerikanischen Präsidenten George W. Bush, dass der internationale Terrorismus eine der schwierigsten Herausforderungen unserer Zeit ist. Dieses Problem wird sich in den nächsten Jahren und Jahrzehnten weiter verschärfen. Es besteht eine hohe Wahrscheinlichkeit, dass Terroristen in den Besitz von Massenvernichtungswaffen gelangen werden. Es ist nur eine Frage der Zeit, bis al Qaida und andere Terrororganisationen über leicht und äußerst billig herstellbare biologische Waffen und auch über nukleare Waffen verfügen werden.

Man vermutet, dass aus nachlässig bewachten russischen Waffenlagern bis zu 100 nukleare Gefechtsköpfe verschwunden sind. Eines Tages werden einige dieser Gefechtsköpfe in die Hände von Terroristen gelangen. Eines Tages werden Terrorgruppen über die atomare Rucksackbombe verfügen und versuchen, sie einzusetzen. Die Massenvernichtungswaffen werden zunehmend handlicher und kleiner, auch das wird dem Terrorismus sein blutiges Geschäft künftig immer leichter machen.

Schon jetzt ist al Qaida in der Lage, Kernkraftwerke anzugreifen und zu zerstören. Der amerikanische Präsident hat Recht, wenn er immer wieder auf diese Gefahren hinweist. Die Frage ist nur, ob seine Strategie, den internationalen Terrorismus, diesen Feind ohne Gesicht, ohne Uniform und ohne Heimatland, mit konventionellen Kriegen, mit Bomben auf Städte und Dörfer zu bekämpfen, richtig ist.

Ich bin dem Terrorismus in meinem Leben häufig begegnet. Als ich fünfzehn Jahre alt war, zogen meine Eltern von Offenburg nach Freiburg. Für mich war das eine bittere Erfahrung. Ich verlor meine Freunde, meine Kameraden im

Fußballverein, ich verlor mit der liebenswerten kleinen Schwarzwaldstadt Offenburg meine Heimat. In Freiburg kannte ich niemanden. Nachmittags, wenn ich meine Schulaufgaben gemacht hatte, ging ich in den kleinen Garten hinter dem Mehrfamilienhaus, in dem wir wohnten und in dem mein Vater noch heute wohnt, und übte Kugelstoßen. Da ich eher schmächtig war, wollte ich meinen Klassenkameraden und meinem Sportlehrer auf einem Gebiet imponieren, auf dem es niemand von mir erwartete.

Im Nachbarsgarten, der durch einen alten Zaun von unserem Garten getrennt war, langweilte sich häufig ein kleiner sechs Jahre alter Junge. Er vertrieb sich die Zeit mit irgendwelchen Spielen. Eines Tages fragte ich ihn, ob er Lust habe, über den Zaun zu klettern und mit mir Federball zu spielen. Er hatte Lust, aber er hatte noch nie Federball gespielt. Also wurde ich sein Federballtrainer. Wir spielten über eine alte Teppichstange. Ich brachte ihm Aufschläge, Vorhand und Rückhand bei und nach einiger Zeit hatte ich einen guten Federballpartner.

Wir trafen uns fast jeden Nachmittag immer zur gleichen Zeit. Tommy, so nannte ihn sein Vater, ein Professor der Medizinischen Fakultät der Freiburger Universität, war ein lieber Kerl, still, sensibel, ein Träumer. Wenn ich durch den dunklen Kellergang unseres Hauses in den Garten kam, saß er meist schon auf einem großen Stein, träumte vor sich hin und wartete auf mich. Wir verbrachten ein halbes, dreiviertel Jahr fast jeden Nachmittag ein bis zwei Stunden miteinander.

Irgendwann trennten sich unsere Wege. Tommy fand Freunde und ich auch. Erst siebzehn Jahre später hörte ich wieder von ihm. In einer Zeitung las ich, dass Tommy Weissbecker, Mitglied einer terroristischen Zelle, im Alter von 23 Jahren von der Polizei erschossen worden war.

Mich traf diese Nachricht wie ein Blitz aus heiterem Himmel. Mein Tommy, einer der sensibelsten Jungen, die ich jemals kennen gelernt hatte, war Mitglied einer militanten Gruppe geworden, die Sprengstoff- und Brandanschläge verübt hatte? Wie war das möglich?

Im selben Jahr wurde ich berichterstattender Richter der großen Strafkammer des Landgerichts Kaiserslautern im Mordprozess gegen das RAF-Mitglied Klaus Jünschke. Als Berichterstatter hatte ich zusammen mit dem Vorsitzenden der Kammer die Hauptverhandlung vorzubereiten. Außerdem lagen bei mir die Briefkontrolle, Entscheidungen über die Teilnahme an Gemeinschaftsveranstaltungen, Gottesdiensten u. Ä.

Jünschke war einer von sechs RAF-Terroristen, die im Dezember 1971 in Kaiserslautern eine Bank überfallen und dabei den 32-jährigen Polizisten Herbert Schoner erschossen hatten. Herbert Schoner war verheiratet gewesen und hatte zwei Kinder hinterlassen.

Ich hatte mir in Jünschke einen kalten, rücksichtslosen Mörder vorgestellt, aber ich irrte mich. Jünschke war zwar Terrorist und Mittäter eines Mordes, der die lebenslange Freiheitsstrafe, die er später erhielt, voll verdiente. Aber er war kein kalter, sondern ein hochsensibler, missionarisch veranlagter junger Mann, der die „Ketten sprengen wollte", in denen die Menschen in Deutschland angeblich lagen. Wie passte diese Sensibilität zu der gnadenlosen Rücksichtslosigkeit, mit der er und seine Kumpane den jungen Polizeibeamten Herbert Schoner erschossen hatten?

Ich war nur wenige Monate mit dem Fall Jünschke befasst, da ich kurz danach zum Bundestagskandidaten gewählt und für den Wahlkampf freigestellt wurde. Und doch hat mich der Fall Jünschke und die Zwiespältigkeit dieses Terroristen jahrelang beschäftigt.

Zu meinen engsten Freunden zählte Anfang der siebziger Jahre, in meinen ersten Jahren als Bundestagsabgeordneter, Hanns-Martin Schleyer, Vorstand von Daimler-Benz und Präsident des Deutschen Arbeitgeberverbandes sowie des Bundesverbandes der Deutschen Industrie. Schleyer war ein Freund meiner Familie. Nachdem mein Freund Bruno Heck gestorben war, wurde er mein engster väterlicher Freund.

Schleyer war, anders als es sein martialisches Äußeres vermuten ließ, ein feinfühliger, toleranter Mann mit großem Verständnis für die Sorgen und Probleme der Arbeitnehmer. Wir trafen uns häufig mit Freunden in einer Jagdhütte bei Genkingen auf der Schwäbischen Alb. Schleyer konnte gut zuhören, und sein Rat war mir sehr wertvoll, weil er einen ausgeprägten Sinn für Gerechtigkeit besaß. Außer ihm hatte ich damals niemanden, mit dem ich mich wirklich aussprechen konnte.

Als ich am 5. September 1977 gegen 18.00 Uhr die Nachricht von seiner Entführung erhielt, war es, als habe man meinen Bruder entführt. Wir waren nur wenige Tage später in Köln zum Mittagessen verabredet gewesen. Ich habe in jenen Wochen mit seiner Familie mitgelitten. Die Bilder Schleyers mit dem Schild „Gefangener der RAF" auf der Brust, die das Deutsche Fernsehen immer wieder ausstrahlte, trafen auch mich mitten ins Herz.

Als die deutsche GSG 9 in Mogadischu die von Terroristen gekaperte Lufthansamaschine „Landshut" stürmte, und die RAF-Terroristen Ulrike Meinhof, Andreas Baader und Jan Carl Raspe daraufhin im Stammheimer Gefängnis Selbstmord begingen, wusste ich, dass das Schicksal von Hanns-Martin Schleyer besiegelt war.

Kurz danach wurde er von seinen Entführern in einem elsässischen Wald durch Genickschüsse hingerichtet. Sie warfen ihn in den Kofferraum eines Audi, den sie in einer Seitenstraße in Mülhausen abstellten. Der Respekt und die Sympathie, die die Entführer, wie wir heute wissen, in den vielen Stunden des Zusammenseins für Hanns-Martin Schleyer entwickelt hatten, hatten sie nicht gehindert, ihn kaltblütig zu ermorden. Ich kann und werde Hanns-Martin Schleyer nie vergessen.

Auch später war der Terrorismus mein ständiger Begleiter. 1986 stellte mich das Bundeskriminalamt unter Polizeischutz, da man bei der Festnahme der RAF-Terroristin Eva Haule-Frimpong Artikel über mich gefunden hatte. Auch beim Ausheben einer konspirativen Wohnung in der Nähe meines Wahlkreises fand man eine umfangreiche Sammlung von Zeitungsberichten über mich. Ein Spezialkommando des BKA wurde mein ständiger Begleiter. Meinem damals dreijährigen Sohn Frédéric imponierten die Jungs vom BKA so sehr, dass er beschloss, Polizist zu werden.

Auch in den Jahren zuvor waren immer wieder schriftlich und telefonisch Morddrohungen in meinem Bonner Büro oder bei meiner Frau zu Hause in meinem schwäbischen Wahlkreis eingegangen. Meine Funktion als rüstungskontrollpolitischer Sprecher der CDU/CSU-Bundestagsfraktion und die Angewohnheit, meine Meinung stets offen und klar auszusprechen, hatten mir nicht nur Freunde, sondern auch Feinde geschaffen. Bei der Landesgeschäftsstelle der CDU in Hessen beispielsweise ging ein Fax zu Händen von Alfred Dregger ein, das mit „RAF" unterzeichnet war, in dem mir das Schicksal Hanns-Martin Schleyers angedroht wurde, falls ich bestimmte Äußerungen zum Thema Terrorismus nicht innerhalb von 24 Stunden widerrufen würde.

All diese Dinge waren der Polizei bekannt. Ich habe sie nie veröffentlicht, weil ich sie nicht wichtig fand. Aber sie zwangen mich schon damals, mich mit dem Phänomen des Terrorismus intensiver auseinander zu setzen.

Mir war immer wieder aufgefallen, dass es sich bei den meisten Anführern terroristischer Organisationen um hochintelligente, sensible, hypermoralische Menschen mit verwundetem, gekränktem Ego handelte. Ihr Kampf gegen die tatsächliche und vermeintliche Ungerechtigkeit dieser Welt gab ihrem bisher sinnlosen, wertlosen Leben endlich einen Sinn, eine Aufgabe.

Je stärker, je mächtiger ihr Feind war, desto sinnvoller, heldenhafter wurde ihre eigene Existenz. Die Übermacht der Feinde erhöhte die eigene Bedeutung. Der Einzelne, vorher völlig unbedeutend, wurde zum auserwählten Helden zur „Befreiung der Welt". Zu einem guten Teil gehörte zum Terrorismus immer auch Selbstinszenierung, Arbeit am Aufbau eines romantischen Flairs, Legendenbildung.

Auch die Strategie war immer ähnlich: Der Staat sollte so geschwächt, so verwundet und so gedemütigt werden, dass er überreagierte und durch „demaskierende" Überreaktionen das Bewusstsein der Massen veränderte und sie an die Seite der Terroristen trieb. Die Terroristen glaubten, dass Terrorismus die einzige Sprache sei, die gehört würde. Er war in ihren Augen die legitime Waffe der Schwachen und Unterdrückten.

Sie gingen davon aus, dass ihre Anschläge immer spektakulärer, ihre Propaganda immer blutiger werden musste, um in unserer reizüberfluteten Welt Gehör zu finden. Ihr Terrorismus war immer auch ein Kampf um die Aufmerksamkeit der Medien und der Massen. „Sie warfen", wie der damalige BKA-Chef Horst Herold sagte, „ihre Bomben in ein Bewusstsein, das anders nicht aufgebrochen werden konnte."

Die Terroristen empfanden trotz ihrer Hypermoral und Sensibilität nie Mitleid mit ihren Opfern. Sie deuteten diese Rücksichtslosigkeit gegenüber ihren Opfern angesichts der „Größe" ihrer Ziele in Härte gegen sich selbst um, in soldatische Tugend, die ihnen kein Mitgefühl erlaubte.

Mich erinnerte die eisige Kälte, mit der Terroristen unschuldige Zivilpersonen, ja selbst Kinder töten konnten, immer an den Reichsführer der SS Heinrich Himmler, der 1943 in einer Rede vor SS-Gruppenführern zur „schwersten Frage seines Lebens, zur Judenfrage", gesagt hatte: „Von euch werden die meisten wissen, was es heißt, wenn 100 Leichen beisammen liegen, wenn 500 daliegen oder wenn 1000 daliegen. Dies durchgehalten zu haben und dabei – abgesehen von Ausnahmen menschlicher Schwächen – anständig geblieben zu sein, das hat uns hart gemacht."

Das alles gilt auch für al Qaida und Bin Laden. Auch Bin Laden sät das Chaos, das er in sich trägt. Zwar wissen wir bis heute nicht genau, welche Rolle er bei den Anschlägen des 11. September spielte. Wir wissen nicht, ist er Prophet, einigende Gestalt, geistiges Oberhaupt oder sogar oberster Befehlshaber von al Qaida. Er selbst sieht sich offenbar als mythische Gestalt, als der „Alte vom Berg", der als Allahs Botschafter die Ungerechtigkeiten dieser Welt mit dem Schwert zu richten hat.

Auch Bin Laden ist nach Beschreibungen früherer Weggefährten ein extrem sensibler, hypermoralischer Mensch, dessen verletztes Selbstbewusstsein jahrzehntelang nach einer großen Aufgabe, nach einer Heldenrolle suchte. Zeitweise hatte er die heilende große Aufgabe im afghanischen Freiheitskampf gegen die übermächtige Sowjetunion gefunden.

Aber dieses Thema war mit dem Rückzug der Sowjetunion erledigt. Statt ihn als islamischen Helden anzuerkennen, hatte das saudische Königshaus 1990 sein Angebot abgelehnt, Saudi-Arabien mit Al-Qaida-Soldaten gegen die vorrückenden irakischen Truppen zu schützen. Stattdessen hatte das Königshaus amerikanische Schutztruppen in das Land der heiligen Stätten Mekka und Medina geholt. Bin Laden war tief gekränkt.

Aber diese schroffe Zurückweisung schenkte ihm ein neues, noch größeres Ziel – die Befreiung der Arabischen Halbinsel von amerikanischen Truppen, die Befreiung Palästinas, den Kampf gegen Israel und vor allem den Kampf gegen die Supermacht USA.

Bin Laden empfindet die Präsenz amerikanischer Truppen in Saudi-Arabien als Demütigung. Auch die politische Bedeutungslosigkeit der arabischen Staaten, die einst halb Europa beherrscht hatten, verletzt ihn tief. Je größer der Vorsprung der westlichen zur muslimischen Welt wird, desto größer wird in seinen Augen seine geschichtliche Rolle, seine Aufgabe als Befreier der muslimischen Massen.

Der Mann mit der amerikanischen Kampfjacke und der amerikanischen Timex-Uhr glaubt, er sei von der Vorsehung bestimmt, die hedonistische westliche Welt, die er hasst und gleichzeitig beneidet, zu überwinden. Er hält sich für den auserwählten Gesandten Allahs, der die Aufgabe hat, den Traum von islamischer Größe wieder zu realisieren.

Wie bei allen Terroristen besteht seine Strategie darin, den übermächtigen Gegner durch demütigende Schläge zu Überreaktionen zu veranlassen. Bin Laden konnte sich nichts Besseres wünschen als die Bombardierung Kabuls, Kandahars und Kunduz'. Jedes getötete afghanische Kind trieb ihm neue Anhänger zu. Für ihn dauerten die Bombardierungen Afghanistans viel zu kurz, weil die Taliban viel zu früh aufgaben. Bin Laden braucht den großen Krieg, den langen Krieg, er braucht zu seiner Legitimation viele unschuldige Opfer.

Je ungerechter sich die USA gegenüber der muslimischen Welt verhalten, desto stärker wird Bin Laden. Sein Terrorismus lebt von unserer doppelten Moral. Jede unserer Ungerechtigkeiten ist Wasser auf seine Mühlen. Bin Ladens Schizophrenie lebt von der Schizophrenie unserer Kultur, die laufend überall auf der Welt gegen ihre eigenen Prinzipien verstößt.

Al Qaida hat und braucht keine festgefügte Organisation, al Qaida braucht vor allem einen gut funktionierenden Feind. Al Qaida braucht unsere Willkür, braucht die permanente Demütigung der arabischen Welt. Wir tun ihr diesen Gefallen jeden Tag. In Bin Ladens al Qaida spiegeln sich alle Frustrationen der muslimischen Welt.

Al Qaida ist heute viel gefährlicher als vor dem 11. September 2001. Zwar haben die USA die Infrastruktur al Qaidas in Afghanistan zerstört und neben einigen wenigen Führungspersonen auch einen Teil der Fußtruppen Bin Ladens ausgeschaltet. Aber gleichzeitig haben sie Bin Laden, weil ihm die Flucht aus Afghanistan gelang, zum muslimischen Volkshelden gemacht. In den Augen der muslimischen Massen hat Bin Laden allein, mit einer Kalaschnikow bewaffnet, den Flugzeugträgern, den B2-Bombern, den Raketen und Marschflugkörpern der USA getrotzt. Er ist längst der Robin Hood der muslimischen Welt.

Wie alle Terroristen blendet Bin Laden das unsägliche Leid, die Qualen der Menschen, die al Qaida im World Trade Center ermordet hat, aus. Er ist, wie man auf einem seiner Videos sieht, freudig überrascht über das „unerwartet große Ausmaß der Zerstörung". Er hat aus seiner Sicht einen großen Sieg errungen und seinem Hauptfeind USA eine schwere Niederlage bereitet. Was zählen da Einzelschicksale? Terroristen kennen kein Mitleid.

XVII.

Die 49-jährige Brooke Deming, deren Mann Frank sich am 11. September 2001 im World Trade Center aufhielt, hat mir erzählt, wie sie diesen Schicksalstag erlebte.

Frank Deming, ein 47-jähriger Consultant des Datenbank-Unternehmens Oracle, hatte an jenem Tag eine Besprechung im 99. Stock des Turms 1 des World Trade Centers. Gegen 8.30 Uhr, kurz vor seiner Besprechung, rief er Brooke zu Hause an und erzählte ihr, was für einen wunderbaren Blick er aus dieser Höhe habe. Es werde ein herrlicher Tag.

Um 8.48 Uhr schlug die Boeing 767 in Turm 1 ein. Das Gebäude erbebte, Fenster splitterten, Deckenteile fielen herunter. Frank glaubte, einige Stockwerke unter ihm habe eine Bombe eingeschlagen.

Er versuchte sofort, Brooke anzurufen. Aber er konnte sie nicht mehr erreichen. Sie war bereits losgefahren, um auf die Kinder einer Bekannten aufzupassen. Er erreichte nur ihren Anrufbeantworter.

Brooke saß zu diesem Zeitpunkt in ihrem Auto. Kurz bevor sie ihr Ziel erreichte, hörte sie im Radio, dass ein Flugzeug in Turm 1 des World Trade Centers gerast sei. Ihr blieb das Herz stehen. Was war mit Frank? Sie rannte in die Wohnung ihrer Bekannten und schaltete das TV-Gerät ein.

Sie sah, wie schwarzer Rauch aus dem ersten Turm aufstieg. Sie hatte nur einen Gedanken: „Hoffentlich ist Frank nicht in diesem Turm!" In diesem Augenblick schlug das zweite Flugzeug im 2. Turm ein. Sie spürte den Einschlag fast physisch. Verzweifelt dachte sie: „Frank, Frank, wo bist du?" Mit zitternden Fingern, tränenüberströmt versuchte sie ihn anzurufen. Aber sein Handy antwortete nicht. Immer wieder wählte sie seine Nummer.

Wie in Trance fuhr sie am Abend nach Hause. Dort wollte sie weiter telefonieren. Sie stellte fest, dass Frank versucht hatte, etwas auf den Anrufbeantworter zu sprechen. Absichtlich oder unabsichtlich hatte er danach sein Handy angelassen.

Atemlos hörte sie auf dem Anrufbeantworter, wie Glas splitterte und eine Frau laut weinte. Sie hörte, wie Frank mit ruhiger Stimme versuchte, die Rettung der Menschen zu organisieren, die verzweifelt versuchten, dem immer dichter werdenden Rauch zu entkommen.

Immer wieder hörte sie im panischen Stimmengewirr Franks beruhigende Stimme. Offenbar gelang es ihm, die Flucht ins Treppenhaus zu organisieren. Sie hörte noch, wie er jemanden ganz ruhig fragte: „Glaubst du, wir kommen hier lebend raus?" Dann brach die Verbindung ab.

Brooke versuchte hastig, eine der Notrufnummern zu erreichen, die im Fernsehen immer wieder eingeblendet wurden. Erst nachts um 3.15 Uhr kam sie durch. Man sagte ihr, sie solle sich an ihre lokale Polizeistation wenden. Aber die Polizisten ihres Reviers konnten ihr auch nicht weiterhelfen. Sie versprachen, sofort anzurufen, sobald sie mehr wüssten.

Tagelang wartete Brooke Deming auf diesen Anruf. Doch der Anruf kam nicht. Trotzdem gab sie die Hoffnung nicht auf. Vielleicht lag Frank schwerverletzt in irgendeinem Krankenhaus New Yorks, vielleicht lag er im Koma. Sie wartete und wartete. Immer wieder hörte sie ihren Anrufbeantworter ab und lauschte seinen letzten Worten.

Am Abend des 9. Oktober, vier volle Wochen später, kamen zwei Polizeibeamte zu ihr nach Hause und teilten ihr mit, dass Frank tot sei. Er war von den Trümmern des zusammenstürzenden World Trade Centers erschlagen worden. Die Polizei hatte das, was von Frank übrig geblieben war, schon am 17. September gefunden. Aber sie hatte drei Wochen gebraucht, um seine zerschmetterten Überreste zu identifizieren.

Das Einzige, was Brooke von Frank geblieben ist, ist seine ruhige Stimme auf dem Anrufbeantworter, die fragt: „Glaubst du, wir kommen hier lebend raus?" Frank hinterlässt drei Jungen im Alter von 14, 16 und 19 Jahren, Chris, Frank und Greg

Ich habe diese Geschichte einem befreundeten tiefgläubigen Muslim erzählt. Er war genauso tief erschüttert wie ich. Bin Laden wäre nicht erschüttert. Bin Laden ist kein gläubiger Muslim. Bin Laden ist Terrorist, sein religiös verbrämter Radikalismus, sein moralischer Nihilismus, sein eingebildetes Heldentum kennen keine Menschlichkeit.

XVIII.

Ich glaube nicht, dass man aktive Terroristen bekehren kann. Sie sind nicht bereit, aus ihrer Heldenrolle auszusteigen. Aber ich glaube, dass man ihr schizophrenes Heldenpathos zerstören kann, wenn man sie gegenüber den Volksmassen, deren Bewunderung sie brauchen, dauerhaft isoliert und demaskiert.

Wer den muslimischen Terrorismus besiegen will, muss sicherstellen, dass dieser nicht täglich neuen Zulauf aus dem riesigen Menschenpotential von 1,3 Milliarden Muslimen erhält. Das aber werden wir nur schaffen, wenn wir zeigen, dass wir nicht nur stärker sind als al Qaida, sondern auch gerechter und menschlicher. Wir brauchen gegen den internationalen Terrorismus keine militärische Koalition, wir brauchen eine moralische Koalition.

Eine kluge Strategie im Kampf um die Herzen der muslimischen Welt steht auf vier Säulen:

1. *Wir müssen in einen partnerschaftlichen Dialog mit der muslimischen Welt eintreten.* Wir müssen anerkennen, dass es auch andere wertvolle Gesellschaftsmodelle gibt und dass uns diese in sozialen Fragen und Sinnfragen manchmal sogar überlegen sind.

Wir müssen den Islam als gleichwertige Religion und Kultur respektieren – nicht in seiner fundamentalistischen Verformung, sondern in seiner von weit über 90 Prozent aller Muslime gelebten und geglaubten toleranten Form. Die Perversion einer Religion durch intolerante Fanatiker ist kein islamisches Problem. Auch das Christentum ist in seiner zweitausendjährigen Geschichte durch Menschen immer wieder bis zur Unkenntlichkeit verformt und als Waffe gegen andere missbraucht worden.

2. *Wir dürfen der muslimischen Welt nicht länger mit einer Politik der doppelten Moral entgegentreten.* Die muslimische Welt hat nicht zu Unrecht den Eindruck, dass der amerikanische Präsident in seiner Außenpolitik mit zweierlei Maß misst. Dass er gegenüber Afghanistan und dem Irak andere Maßstäbe anlegt als gegenüber den Unrechtsregimen in Tadschikistan oder Usbekistan, weil er diese als militärische Verbündete braucht. Dass er seine militärischen Feinde bei Kriegsverbrechen vor Gericht stellt, militärische Verbündete wie General Dostum jedoch mit Ministerposten belohnt.

George W. Bush muss sich auch im Nahost-Konflikt viel stärker als bisher engagieren. Es ist an der Zeit, dass die gesamte arabische Welt das Existenzrecht Israels uneingeschränkt akzeptiert. Aber es ist auch an der Zeit, dass die amerikanische Regierung als ehrlicher Makler den Palästinensern zu einem eigenen lebensfähigen Staat verhilft. Sie muss fair sein gegenüber unseren israelischen Freunden, aber auch fair gegenüber den Palästinensern. Nicht nur mit Worten, sondern auch mit Taten. Die amerikanische Führung hat sich im Nahen Osten einen gefährlichen diplomatischen Tiefschlaf geleistet.

3. *Die Führung der USA muss aufhören, den Antiterrorfeldzug mit den Mitteln des konventionellen Krieges zu führen und Städte und Dörfer zu bombardieren, sei es in Afghanistan, im Irak oder eines Tages im Iran.* Wenn der Kampf gegen den Terrorismus, wie Präsident Bush gesagt hat, „der Kampf derer ist, die an Toleranz und Freiheit glauben", kann die bewusste Inkaufnahme des Todes von Zivilpersonen kein Mittel unserer Politik sein.

Ich bin kein Pazifist und werde es nie sein. Aber ich plädiere dafür, dass die Grundsätze der Moral, des Rechts und der Verhältnismäßigkeit nicht nur bei der Schaffung des nationalen Friedens, sondern auch bei der Schaffung des internationalen Friedens gelten. Ohne diesen Paradigmenwechsel werden wir den Terrorismus nicht besiegen. Wer Terror mit Terror bekämpft, erntet nicht weniger, sondern noch mehr Terror. Nihilismus kann man nicht mit Nihilismus überwinden, sondern nur mit Werten. Man kann sich eine gerechte Welt nicht zurechtbomben.

4. *Wir müssen unsere Entwicklungshilfe für gemäßigte muslimische Länder verstärken.* Wir müssen unseren Krieg gegen die Armut führen, nicht gegen die Armen. Armut ist ein gefährlicher Nährboden für Terrorismus. Zwar stammen die führenden Köpfe des muslimischen Terrorismus, ähnlich wie die Vordenker der Französischen Revolution, häufig aus gebildeten, wohlhabenden Familien. Aber das Umfeld, das sie trägt, besteht aus leicht verführbaren, bettelarmen Menschen ohne jede Perspektive.

Täglich verhungern auf der Welt 20 000 Kinder. Das scheint kaum jemanden zu stören. Als Terroristen am 11. September im World Trade Center fast 3000 Menschen ermordeten, sprach der amerikanische Präsident zu Recht von einem Anschlag gegen unsere Zivilisation. Warum aber hat noch nie ein amerikanischer Präsident oder ein deutscher Bundeskanzler gesagt, dass es ein Anschlag gegen unsere Zivilisation ist, wenn täglich 20 000 Kinder verhungern? Warum wachen wir immer erst auf, wenn aus Hunger, Ungerechtigkeit und Hoffnungslosigkeit Terrorismus entsteht?

Eine Strategie, die den globalen Terrorismus mit einer Mischung aus Härte, Klugheit, Gerechtigkeit und Menschlichkeit bekämpft, ist unsere einzige Chance, dieses metastasierende Krebsgeschwür wirksam einzudämmen. Allerdings ist das leider nicht die Strategie des amerikanischen Präsidenten.

XIX.

Der Kampf gegen die Terroristen selbst muss mit den klassischen Methoden und kühlem Kopf geführt werden. Ein kühler Kopf ist im Kampf gegen den Terrorismus wichtiger als patriotisches Imponiergehabe. Wir haben in Deutschland die Rote-Armee-Fraktion besiegt, weil wir gegen ihren gewalttätigen Kern und gegen ihre Sympathisanten hart, aber auch gerecht, geduldig und gelassen – mit den Mitteln des Rechtsstaats – vorgegangen sind. „La vengeance est un plat, qui se mange froid", sagen die Franzosen. „Die Rache ist ein Gericht, das man kalt genießt." Wären wir mit Brutalität und Maschinengewehrfeuer gegen die auf Deutschlands Straßen demonstrierenden RAF-Sympathisanten vorgegangen, gäbe es die RAF heute noch.

Die bewährten Mittel im Kampf gegen die Terroristen selbst sind neben harten politischen und wirtschaftlichen Strafmaßnahmen gegen unterstützende Regierungen

- nachrichtendienstliche Aufklärung,
- Unterwanderung des Umfeldes,
- Geld
- und am Ende auch Spezialkommandos.

Nur Dummköpfe gehen mit Flugzeugträgern, Raketen, Jagdbombern und Panzern auf die Fuchsjagd oder bekämpfen die Läuseplage mit dem Vorschlaghammer. Den Terrorismus bekämpft man mit dem Skalpell und nicht mit dem Schlachterbeil. Militärische „Feste-druff-Strategien" und Law-and-Order-Methoden schwächen den Terrorismus nicht, sie stärken ihn. Sie züchten immer neue Generationen von Terroristen heran.

Wir Europäer sind mittel- und langfristig durch den muslimischen Terrorismus mindestens so verwundbar wie die USA. Die Muslime sind unsere unmittelbaren Nachbarn, 15 Millionen leben in Europa. Nachrichtendienste schätzen, dass in den USA rund 8000 muslimische „Schläfer" auf ihren Einsatzbefehl warten, in Europa jedoch weit über 10 000.

Die Strategie gegen den globalen Terrorismus ist daher mindestens genauso eine europäische wie eine amerikanische Sache. Wir müssen diese Strategie als gleichberechtigte Partner mitformulieren. Wir dürfen nicht mit gesenktem Haupt hinter den USA hermarschieren und jede Sottise mitmachen.

Als alter Freund der USA bin ich zuversichtlich, dass die Amerikaner ihre Antiterrorstrategie eines Tages revidieren werden. „Die USA machen", wie Winston Churchill einmal gesagt hat, „am Ende immer das Richtige – nachdem sie alle anderen Möglichkeiten ausgeschöpft haben."

XX.

„In Kriegszeiten ist die Wahrheit so kostbar, dass sie stets von einer Leibwache aus Lügen beschützt werden sollte", meinte derselbe Churchill sarkastisch. Und so klopfen sich die Mitglieder der Bush-Administration wegen ihrer angeblichen Erfolge im Antiterrorkrieg auch heute noch kräftig und selbstgefällig auf die Schultern, obwohl selbst wohlmeinende Beobachter zunehmend Zweifel an der Klugheit und Wirksamkeit der ersten Phase des „Kreuzzugs gegen den Terror" anmelden.

War dieser Kreuzzug wirklich so erfolgreich, wie George W. Bushs Mannschaft behauptet? Was würden die Bush-Männer von einem Polizeichef halten, der auf der Suche nach einem Terroristen, der sich bei befreundeten Drogenhändlern im Rotlichtmilieu Chicagos versteckt hat,

- das ganze Rotlichtviertel bombardieren ließe,
- dabei hunderte unschuldiger Zivilpersonen, darunter zahlreiche Kinder töten würde,
- den Terroristen entkommen ließe
- und trotzdem der Öffentlichkeit stolz verkünden würde, das Ganze sei ein großer Erfolg, denn immerhin seien die Drogenhändler bei der Bombardierung weitgehend ausgeschaltet worden?

Wir alle wissen, was mit diesem Polizeichef geschehen würde. Er würde sofort beurlaubt und vor Gericht gestellt – und zwar nicht wegen fahrlässiger Tötung, sondern wegen Totschlags, vielleicht sogar wegen Mordes.

In Afghanistan ist genau dasselbe passiert. Wir – ich sage bewusst „wir", weil der ganze Westen zugestimmt hat – haben auf der Jagd nach einem furchtbaren Terroristen zahllose Zivilpersonen getötet, darunter viele Kinder, den Terroristen und Massenmörder Bin Laden und den größten Teil seiner Führungsmannschaft entkommen lassen und trotzdem der Öffentlichkeit stolz verkündet, das Ganze sei ein großer Erfolg, denn immerhin seien die schrecklichen Taliban ausgeschaltet worden.

Warum ist das, was in der Innenpolitik eine Katastrophe, ein Verbrechen ist, in der Außenpolitik eine Heldentat? Warum darf man, sobald man die Grenzen seines eigenen Landes überschreitet, Dinge tun, die zu Hause kriminell sind?

Und ich frage immer wieder: Sind 6000 unschuldig getötete afghanische Zivilpersonen weniger wert als 3000 unschuldig getötete Amerikaner? Heißt es in der amerikanischen Unabhängigkeitserklärung neuerdings statt „All men are created equal", nur noch „All Americans are created equal"?

Ich muss leider die Selbstbeweihräucherungszeremonien der westlichen Strategen stören. Aber der Bombenkrieg gegen die Städte Afghanistans war nicht nur völkerrechtswidrig, er brachte auch nicht den gewünschten Erfolg. Hier wurde wegen eines einzigen Terroristen ein ganzes Land plattgebombt, aber der, um den alles ging, dem angeblich „alle Fluchtwege abgeschnitten" waren, ist auf Eselsrücken nach Pakistan entkommen. Und auch der einäugige Talibanführer Mullah Omar konnte in Slapstick-Manier auf einem Motorrad einen angeblich undurchbrechbaren Belagerungsring durchbrechen und verspottet die USA nun übers Internet.

Der Afghanistan-Krieg, der Milliarden Dollar und Tausende afghanischer Zivilisten das Leben gekostet hat, war der teuerste, blutigste und peinlichste Flop in der Geschichte der Terrorismusbekämpfung. Selbst amerikanische

Geheimdienstler bezeichnen Tora Bora, jene Gebirgsregion, in der Bin Laden angeblich umzingelt war, inzwischen laut *Washington Post* als die „größte Pleite des Krieges".

Der bisherige Afghanistankrieg hatte zugegebenermaßen einen äußerst positiven Nebeneffekt, die Vertreibung der Taliban, einer der schlimmsten Regierungen der Welt. Aber der Sturz dieser einstigen Hoffnungsträger und Subventionsempfänger der USA war, wie Außenminister Powell zu Beginn des Krieges ausdrücklich erklärt hatte, gar „nicht Ziel des Antiterrorfeldzugs". Die Taliban sollten lediglich gestürzt werden, um leichter an Bin Laden heranzukommen.

Die Vertreibung schrecklicher Regierungen steht auf der Prioritätenliste des amerikanischen Präsidenten ohnehin nicht weit oben. Er müsste sonst Dutzende Länder dieser Welt angreifen, darunter einige seiner wichtigsten militärischen Verbündeten und Rohstofflieferanten – und nicht nur Afghanistan oder den Irak.

Dass Kriegsziel Nummer 1 nicht die Vertreibung der Taliban, sondern die Ergreifung Bin Ladens war, war selbst zwischen Republikanern und Demokraten in Washington immer unstreitig. So hatte Tom Daschle, der Anführer der Demokraten im Senat, schon frühzeitig erklärt: „Natürlich müssen wir Mullah Omar, Osama Bin Laden und andere Schlüsselfiguren des Al-Qaida-Netzes finden, sonst haben wir versagt." Und im November 2002 legte er nach: „Wir können Bin Laden nicht finden. Wir haben keine wirklichen Fortschritte bei der Suche nach den Führungsfiguren von al Qaida gemacht. Die sind heute noch eine ebenso große Gefahr wie vor anderthalb Jahren. Wie können wir da behaupten, wir seien bisher erfolgreich gewesen?"

Zu allem Überfluss erklärte auch noch CIA-Direktor George Tenet im Spätherbst 2002 – also ein Jahr nach Beginn des Kreuzzugs gegen den Terror – in seiner trockenen Art: „Das Bedrohungsumfeld, in dem wir uns heute befinden, ist genauso schlimm wie im vergangenen Sommer."

Die Zahl terroristischer Anschläge auf der Welt ist seit Beginn des Antiterrorkriegs dramatisch gestiegen. Indien, Pakistan, Indonesien, die Philippinen, Tunesien, Jemen, Kuwait, Russland, Spanien, Kenia und auch Israel sind nur einige der Länder, in denen es seither zu schweren Anschlägen gekommen ist. Noch nie hat es eine derartige Häufung spektakulärer terroristischer Aktionen gegeben. Wenn so Siege gegen den Terrorismus aussehen, wie sehen dann erst Niederlagen aus?

Umso bewundernswerter ist die Chuzpe, mit der diese milliardenschwere Pleite von der Mannschaft um George W. Bush als großer Erfolg dargestellt wird. Die USA haben Millionen Dollar teure Raketen abgefeuert, um jämmerliche Berghöhlen zu zertrümmern, sie haben Maultieren Marschflugkörper in den Hintern geschossen und am Ende das zentrale Ziel ihres Krieges aus den eingekreisten Höhlen von Tora Bora entwischen lassen, weil sie das Kämpfen der Nordallianz überließen und sich in sicheren Unterständen auf ungefährliche logistische Unterstützung und Fernsehinterviews beschränkten.

Könnte es sein, dass wir zur Zeit die Wiederaufführung des Märchens „Des Kaisers neue Kleider" erleben und George W. Bush im Antiterrorkrieg schon längst nicht mehr im strahlenden Gewand des Siegers, sondern in einem ziemlich kurzen Hemd herumläuft? Könnte es sein, dass die USA den falschen Krieg gewonnen haben?

Ich hoffe, dass es trotzdem gelingen wird, Bin Laden auszuschalten. Dieses seelenlose Phantom der Dunkelheit verdient weder Mitleid noch klammheimliche Sympathie. Vielleicht finden ihn die USA, vielleicht auch nicht. Der

XXI.

Auch das Sekundärziel, Frieden in Afghanistan herzustellen, ist bis heute nicht erreicht worden. Wieder einmal hat sich gezeigt, dass es in Afghanistan relativ leicht ist, militärische Anfangserfolge zu erzielen, aber außerordentlich schwer, das Land wirklich zu befrieden.

Afghanistan ist noch Lichtjahre von einem wirklichen Frieden entfernt: Noch immer herrschen in weiten Teilen Afghanistans Chaos und Anarchie. Präsident Karsai, der machtpolitisch kaum mehr ist als ein Bürgermeister von Kabul, bittet seit Monaten flehentlich, die internationale Schutztruppe Isaf deutlich zu vergrößern und ihr Einsatzgebiet auf ganz Afghanistan auszuweiten.

Allein kann Karsai die Macht der Warlords und ihrer Privatarmeen nicht brechen. Ohne deren Entwaffnung gibt es keinen Frieden, ohne Frieden keinen wirklichen Wiederaufbau. Karsai hatte daher zu Beginn seiner Amtszeit zu Recht verkündet, vordringlichstes Ziel sei das Einsammeln aller Waffen: „Wenn ich das nicht schaffe, trete ich zurück." Er hat es nicht geschafft. Die Gefahr, dass das Land wieder in Hoffnungslosigkeit versinkt, ist riesengroß.

George W. Bush hatte Karsai bei dessen Besuch in Washington noch feierlich versprochen, in Afghanistan „für die Sicherheit zu sorgen, die für einen Frieden nötig ist". Er hat dieses Versprechen bis heute nicht eingehalten.

Wenn ich an die Machtlosigkeit von Karsai denke, fällt mir immer mein Freund Mogaddedi ein. Als Sibghatullah Mogaddedi am Freitag, dem 28. April 1992, nach dem Sturz des kommunistischen Präsidenten Nadschibullah, sein Amt als Übergangspräsident Afghanistans antrat, beschloss er, noch am gleichen Tag eine Ansprache an sein Volk zu halten. Also setzte er sich in seinen nicht mehr ganz neuen Dienst-Mercedes und ließ sich zur staatlichen Rundfunkanstalt Kabuls fahren.

Mogaddedi hatte ein großes Handicap, er besaß wie Karsai keine Armee, keine eigenen Truppen, keine eigenen Kämpfer. Aber diesen Mangel wollte er durch die Macht seiner Sprache, durch die Kraft seiner Argumente wettmachen. Die erste Ansprache an sein Volk war für ihn deshalb sehr wichtig.

Als er vor dem mehrstöckigen graugrünen Gebäude des staatlichen Rundfunks angekommen war, zwängte er sich aus seinem Mercedes und schritt würdevoll zum Eingang des Gebäudes. Dort standen einige schwer bewaffnete Mudschaheddin von General Massud, dem designierten Verteidigungsminister Afghanistans. Sie fragten Mogaddedi mit finsterer Miene, was er hier wolle. Mogaddedi schaute sie strafend an und erklärte ihnen, er sei der Präsident Afghanistans und werde jetzt zu seinem Volk sprechen. Die bärtigen Soldaten hielten ihm ungerührt ihre Kalaschnikows unter die Gelehrtennase und knurrten ihn an, ihnen sei völlig egal, wessen Präsident er sei. Wenn er nicht innerhalb von zehn Sekunden verschwinde, sei er auf jeden Fall ein toter Präsident. In das Rundfunkgebäude komme ohne Passierschein Massuds niemand rein.

Als Mogaddedi zu einer längeren staatsmännischen Standpauke ausholen wollte, entsicherten die Mudschaheddin in aller Ruhe ihre Kalaschnikows. Mogaddedi, der nicht gleich bei seiner ersten Amtshandlung erschossen werden wollte, erkannte, dass er heute besser nicht zu seinem Volk reden würde, und trat den Rückzug an. Er hat in den recht erfolgreichen zwei Monaten seiner Amtszeit nie zu seinem Volk gesprochen.

Karsais Macht ist nicht viel größer. Die Truppen der

Nordallianz, deren Kampfkraft ohnehin nicht überwältigend ist, werden im Notfall eher auf seine Kabinettskollegen von der Nordallianz Fahim und Abdullah hören. Wenn die Amerikaner nicht hinter Karsai stünden, hätten ihn die Führer der Nordallianz längst beiseite geschoben.

Aber selbst wenn ihm die Truppen der Nordallianz mit ihren maximal 20 000 Mann wirklich ergeben wären, könnte er mit ihnen nur einen kleinen Teil Afghanistans beherrschen. Große Teile Afghanistans werden noch immer von rivalisierenden Kriegsfürsten und ihren Privatmilizen, die insgesamt mindestens 50 000 schwer bewaffnete Kämpfer umfassen, sowie von vagabundierenden Banden kontrolliert.

Die 5000 Mann starke internationale Friedenstruppe Isaf ist nur ein Tropfen auf den heißen Stein. Sie hilft lediglich, die Lage in Kabul einigermaßen zu stabilisieren, während in weiten Teilen Afghanistans noch immer Bürgerkrieg herrscht.

Diese chaotische Situation, in der sich Dostum und Rabbani, Amamullah Khan und Ismail Khan, Padscha Khan und die Bevölkerung von Paktia blutige Gefechte liefern, erlaubt es versprengten Talibankämpfern immer wieder, neue Widerstandsnester aufzubauen, zu Guerillataktiken überzugehen, ja sogar amerikanische Militärstützpunkte anzugreifen und damit die Autorität der Kabuler Regierung zu untergraben. Dieser Guerillakrieg kann – selbst wenn die USA ein Widerstandsnest nach dem anderen plattbomben – noch lange dauern, wenn nicht zweierlei geschieht:

1. Die internationale Staatengemeinschaft muss Karsai helfen, die zahllosen Privatmilizen zu entwaffnen und in eine zentrale Polizeiorganisation und eine zentrale Armee zu überführen. Dazu ist eine drastische Vergrößerung der Friedenstruppen und eine Erweiterung ihres Einsatzgebietes auf ganz Afghanistan erforderlich. Das

bisherige Isaf-Kontingent und die Nordallianz sind für eine umfassende Entwaffnungsaktion viel zu schwach. Im Gegenzug zur Abgabe der Waffen könnte endlich die von der Staatengemeinschaft feierlich versprochene massive Entwicklungshilfe einsetzen.

Dass eine Entwaffnung der afghanischen Privatmilizen sogar ohne Gegenleistung möglich ist, haben die Taliban nach 1994 gezeigt. Sie entwaffneten damals über 90 Prozent der Privatarmeen der afghanischen Kriegsfürsten. Es war dies eine der ganz wenigen sinnvollen Aktionen dieser schrecklichen Bewegung.

2. Die USA müssen ihren Kriegsgegnern, den Taliban-Fußsoldaten, endlich ein Signal geben, dass sie, wenn sie ihren sinnlosen Kampf aufgeben, nach den Regeln des Völkerrechts behandelt werden und dass selbst diejenigen, denen Kriegsverbrechen oder terroristische Straftaten vorgeworfen werden, einen gerechten Prozess zu erwarten haben. Das ist eine rechtsstaatliche Minimalforderung, die auch Hamid Karsai mehrfach erhoben hat. Ich schäme mich als ehemaliger Richter fast, eine derartige Selbstverständlichkeit fordern zu müssen.

Ich glaube nicht, dass die meisten Taliban-Fußsoldaten in Afghanistan – ich spreche nicht von ihren Anführern – nach ihren schweren Niederlagen der letzten Monate noch für irgendein übergeordnetes, höheres Ziel kämpfen. Sie kämpfen weiter, weil sie keinen anderen Ausweg mehr sehen. Sie wissen, wenn sie aufgeben, werden sie entweder massakriert, wie jene über tausend Gefangenen von Mazar-i-Sharif, denen Usbeken-Führer Dostum nach dem Fall von Kunduz die Kehle durchschneiden ließ, oder in guantanamesische Käfighaltung überführt. Das Angebot einer völkerrechtlich korrekten Behandlung und fairer Prozesse ist daher nicht nur ein Gebot des Rechts und der Moral, sondern auch ein Gebot politischer Klugheit.

Erst wenn die Privatmilizen Afghanistans entwaffnet sind und eine völkerrechtlich einwandfreie Behandlung der Taliban-Fußsoldaten sichergestellt ist, wird es in Afghanistan wirklichen Frieden geben. Erst dann wird auch die von der internationalen Staatengemeinschaft in Aussicht gestellte Entwicklungshilfe zum Wiederaufbau Afghanistans richtig einsetzen und greifen können.

Wir dürfen Afghanistan nicht noch einmal, wie 1992 nach dem Sturz der Kommunisten, mit seinen riesigen Problemen allein lassen. Vor allem Hamid Karsai braucht dringend mehr Unterstützung durch die internationale Staatengemeinschaft, gleichgültig aus welchen Gründen ihn die USA zum Staatschef gemacht haben. Ein Regierungschef, der das militärische, politische und wirtschaftliche Chaos seines Landes nicht beseitigen kann, muss die großen Erwartungen der afghanischen Bevölkerung bitter enttäuschen.

Der berühmte zweite Kalif ibn al-Chattab Omar wurde einmal gefragt, wie er seine politische Verantwortung als Herrscher sehe. Er antwortete: „Selbst wenn sich im fernen Babylon ein Maultier wegen schlechter Straßen ein Bein bricht, werde ich am Tag des Jüngsten Gerichts von meinem Schöpfer gefragt werden, warum ich als Herrscher die Straßen meines Landes nicht in Ordnung gehalten habe."

Karsai muss sich vor diesem Anspruch hilflos und verlassen vorkommen. Er kann weder für die Menschen im Süden noch für die Menschen im Norden, Westen oder Osten Afghanistans wirklich sorgen. Selbst den Menschen in Kabul kann er kaum ihr Existenzminimum an Nahrung, Kleidung und medizinischer Versorgung und nur begrenzte Sicherheit garantieren.

Afghanistan ist in den Augen der muslimischen Welt ein Testfall dafür, ob es der von den USA geführten Antiterror-Allianz wirklich um den Aufbau einer friedlichen Welt geht oder nur um Rache für die feigen Terroranschläge saudi-arabischer Terroristen gegen die USA. Der muslimische Bürgermeister der bosnischen Stadt Tuzla, Selim Beslagic, in dessen Stadt serbische Milizen grauenvolle Massaker an der muslimischen Zivilbevölkerung begangen hatten, hat einmal gesagt: „Wenn wir der Gegenwart erlauben, an der Vergangenheit Rache zu nehmen, verspielen wir die Zukunft." Ob das allen Falken der westlichen Welt klar ist?

XXII.

Statt die Isaf-Truppen kräftig zu verstärken und Karsai bei der Entwaffnung der Warlords und beim Aufbau zentraler Ordnungskräfte zu unterstützen, verzettelte sich die amerikanische Regierung ab Frühjahr 2002 in einen immer unsinniger werdenden Kleinkrieg in den Bergen des Hindukusch. Dabei konnte sie ihre militärische Überlegenheit von Tag zu Tag weniger ausspielen, weil es – wie der russische Verteidigungsminister Sergej Iwanow süffisant anmerkte – in der Tat schwer ist, „bewaffnete Banden aus der Luft zu vernichten, wenn sie nicht in Reih und Glied die Straße entlang gehen".

Außerdem gab es schon frühzeitig keine wichtigen militärischen Ziele mehr. Paschtunische Stammesführer behaupteten immer häufiger, dass amerikanische Piloten auf dem Rückflug von Einsätzen ihre Bomben manchmal nur deshalb abwarfen, um leichter landen zu können. Das war vielleicht polemisch übertrieben, zeigte aber die Verbitterung vieler Paschtunen über die nicht endende Bombardierung ziviler Ziele in den südlichen Regionen Afghanistans.

Immer wieder wurden ganze Dörfer dem Erdboden gleichgemacht, nur weil sich dort angeblich geflohene Talibankämpfer versteckt hatten. Die amerikanische Führung bombte sich immer mehr ins Unrecht.

Nur selten kam der amerikanischen Führung ein Wort des Bedauerns gegenüber den Opfern ihrer Bombenseligkeit über die Lippen, obwohl – wie zu Zeiten des sowjetischen Überfalls – immer mehr schwer verletzte Zivilpersonen die Krankenhäuser Afghanistans und der pakistanischen Grenzstädte Quetta und Peshawar füllten.

Meist wurde dieses „friendly fire" von der amerikanischen Führung dementiert. Die Wahrheit ist in Kriegszeiten immer ein ungebetener Gast. Oder wie der Medienkommentator der *Washington Post* Howard Kurtz einen der Planer des amerikanischen Antiterrorkriegs zitierte: „Wir werden über bestimmte Dinge lügen. Wenn dies ein Informationskrieg ist, dann werden die Kerle mit Sicherheit lügen."

Im Juli 2002 sprengten amerikanische Bomber vom Typ C-130 Herkules im Dorf Kakrakhel, nördlich von Kandahar, eine Hochzeitsgesellschaft in die Luft, weil sie deren Freudenschüsse angeblich für einen Angriff gehalten hatten. Über 40 Afghanen wurden getötet, mehr als 100 zum Teil schwer verletzt.

Kako, ein achtjähriges Mädchen war aus dem Haus gerannt, als es die Detonation der Bomben hörte. Sie schilderte der amerikanischen Nachrichtenagentur AP: „Der Innenhof war voller Blut, überall lagen Leichen. Ich sah eine Frau ohne Kopf." Und Ahmed Jan Agha erzählte: „Sie feuerten auf die fliehenden Menschen. Sie haben uns regelrecht gejagt."

Verteidigungsminister Donald Rumsfeld trat kurz nach Bekanntwerden des „Zwischenfalls" in Washington im hellen Sommeranzug lachend vor die Presse und erklärte, bei dem bombardierten Ziel habe es sich eindeutig um ein militärisches Ziel gehandelt. In dem Dorf hätten sich Talibankämpfer zusammengerottet und auf die Flugzeuge geschossen. Kurze Zeit später schob er nach: „So was passiert, ist immer schon passiert und wird auch wieder passieren."

Man muss sich vorstellen, etwas Vergleichbares wäre in den USA geschehen. Ein französischer Pilot hätte bei einer Übung in Texas versehentlich eine Hochzeitsgesellschaft bombardiert und ein Dutzend amerikanische Staatsbürger getötet. Anschließend wäre der französische Verteidigungsminister im hellen Sommeranzug vor die Presse getreten und hätte lachend erklärt, man solle sich nicht so aufregen. So was passiere und werde immer wieder passieren.

Spürt die amerikanische Führung nicht, welche verheerende Wirkung solche Flapsigkeit gegenüber dem Leid der afghanischen Zivilbevölkerung in der muslimischen Welt hat? Warum gibt es von amerikanischer Seite keine angemessene Entschädigung für die zivilen Opfer des Afghanistankrieges? Warum werden Briefe betroffener Familien mit der Bitte um Wiedergutmachung von der amerikanischen Botschaft in Kabul nicht beantwortet? Warum werden die Angehörigen der Opfer nicht einmal vorgelassen?

Auch die Behandlung der gefangenen Taliban- und Al-Qaida-Kämpfer im Camp X-Ray in Guantanamo ist kein Ruhmesblatt der amerikanischen Politik. Sie widerspricht allen Regeln des Völkerrechts, und wie das deutsche Verteidigungsministerium erstaunlich mutig festgestellt hat, allen „internationalen menschenrechtlichen Mindeststandards".

Das würde selbst dann gelten, wenn es sich bei den Gefangenen von Guantanamo um die Führungsriege von al Qaida und nicht um überwiegend drittklassige Fußsoldaten Bin Ladens und Mullah Omars handeln würde. Es ist kein Zeichen von Größe und Souveränität, dass der größte Rechtsstaat der Welt seine Kriegsgefangenen – darunter einige 70-jährige Afghanen – monatelang wie Tiere in Käfigen hielt und der Weltöffentlichkeit vorführte.

Die Stärke eines Rechtsstaats zeigt sich darin, wie er seine schlimmsten Feinde behandelt. Sie bewährt sich darin, dass er ihnen nie ihre Würde nimmt, dass er bei der Bekämpfung des Unrechts nie den Boden des Rechts verlässt und dass er, wie Papst Johannes Paul II. nach dem 11. September gefordert hat, nie „der Versuchung des Hasses nachgibt". Auch in Kriegszeiten darf das Recht nicht schweigen.

Der eisenharte, unerbittliche Winston Churchill, der nie im Verdacht stand, Pazifist und Appeasementpolitiker zu sein, und den ich deshalb im Zusammenhang mit der Antiterrorstrategie der USA besonders gern zitiere, forderte einst: „Im Krieg Entschlossenheit, im Sieg Großmut." Das gilt auch heute noch.

Für Terroristen und Kriegsverbrecher gibt es keine mildernden Umstände. Sie müssen hart bestraft werden – aber wie Menschen, nicht wie Tiere. Bismarck hatte einst mahnend gesagt: „Die Politik hat nicht zu rächen, was geschehen ist, sondern dafür zu sorgen, dass es nicht wieder geschieht."

George W. Bushs bisheriger Antiterrorfeldzug hat einen dreifachen, verheerenden „Kollateral"-Schaden verursacht:

- Er hat Tausende unschuldige Zivilpersonen das Leben gekostet und unzählige unbeteiligte Männer, Frauen und Kinder schwer verletzt.

- Er hat die moralische Glaubwürdigkeit des Westens in der muslimischen Welt untergraben, den Terroristen die Argumente geliefert, die sie brauchen, und dadurch den muslimischen Terrorismus weltweit massiv gestärkt.

- Und er hat den Gewaltherrschern dieser Welt mit seiner undifferenzierten Rhetorik den zynischen Vorwand geliefert, ihre politischen Gegner – vor allem wenn es sich um Muslime handelt – kurzerhand als Terroristen zu denunzieren und noch brutaler zu verfolgen als bisher.

All diese Schäden und Fehlentwicklungen sind unübersehbar. Die politische und die intellektuelle Führung des Westens aber schaut weg und schweigt. So wie wir fast immer schweigen, wenn das Unrecht die Macht an seiner Seite hat.

XXIII.

Aber auch das Schweigen der muslimischen Welt zum internationalen Terrorismus war bedrückend. Zwar hatten sich die Führer der meisten muslimischen Staaten von den Anschlägen des 11. September distanziert. Aber eine intensive Auseinandersetzung mit dem internationalen Terrorismus hatte nicht stattgefunden. In den breiten Massen der muslimischen Welt gab es kaum verhohlene Genugtuung über die „erfolgreichen" Anschläge gegen die USA. Dieser Volksstimmung war die politische, aber auch die geistige Führung der muslimischen Welt nicht mit der gebotenen Härte entgegengetreten.

Im Islam gibt es zwar keine zentrale Lehrautorität, die, wie der Papst für die römisch-katholische Kirche, für alle Muslime sprechen kann. Trotzdem wäre es den geistigen Führern der muslimischen Welt möglich gewesen, klarere Worte gegen den internationalen Terrorismus zu finden.

Ich schrieb daher dem im Westen wohl bekanntesten Theologen der islamischen Welt, dem Grand Imam Sheikh Al-Azhar Dr. Tantawy in Kairo, im Sommer 2002 folgenden Brief:

„Sehr geehrter Herr Tantawy,
ein afghanisches Sprichwort sagt: An dem Tag, an dem ihr euch wirklich kennen lernt, seid ihr Brüder. Ich wende mich an Sie, weil ich an dieses Sprichwort glaube und weil Sie in zahlreichen öffentlichen Stellungnahmen Brücken zwischen Orient und Okzident geschlagen haben.
Der 11. September 2001 hat in unserer Welt vieles verändert. Er hat nicht nur den Mythos von der unverwundbaren Insel Amerika zerstört. Er hat uns auch wie ein Blitz

aus heiterem Himmel klargemacht, wie verletzlich der westliche Lebensstil mit seiner Unbeschwertheit, seiner hedonistischen Lebensfreude ist.

Gleichzeitig entstand in den Herzen vieler Menschen der westlichen Welt eine Mischung aus Hass, Wut und Rache gegenüber der muslimischen Welt, Gefühle, die ich mit großer Sorge beobachtete. Die Verknüpfung Muslim = Fundamentalist = Terrorist ist symptomatisch für diese Einstellung.

Der Islam, der in seinen Blütezeiten von deutschen Orientalisten als ‚Sonne über dem Abendland‘ bezeichnet wurde, wird nur noch als ein grausamer, alles Zivilisatorische verzehrender Feuerball wahrgenommen. Al-Andalus hat keinen Platz mehr in diesem Zerrbild des Islam.

Von da ist es nur ein kleiner Schritt zur Unterteilung der Welt in ein Reich des Guten und ein Reich des Bösen. Dass das Böse nach dieser Logik mit unerbittlicher Härte und notfalls mit militärischen Mitteln bekämpft werden muss, brauche ich nicht näher zu erläutern.

Die überwältigende Zustimmung des amerikanischen Volkes zu einem kompromisslosen ‚Kreuzzug‘ gegen das Böse, zur bewussten Inkaufnahme furchtbarer ‚Kollateralschäden‘ unter der Zivilbevölkerung Afghanistans und zur Relativierung zentraler rechtsstaatlicher Grundsätze im eigenen Land zeigt, dass sich in den Herzen einer der demokratischsten und großzügigsten Nationen der Welt Entscheidendes verändert hat. Viele Menschen Europas denken ähnlich.

Vergleichbare Fehlentwicklungen gibt es in der muslimischen Welt. Nicht wenige Muslime empfinden eine ‚klammheimliche Freude‘ über die Anschläge vom 11. September. Bin Laden ist für viele zum David geworden, der dem Goliath USA endlich die Stirn geboten hat. Dass seine ‚Heldentat‘ in der feigen Tötung unschuldiger Zivilpersonen aus über 60 Ländern der Welt bestand, dass er im

World Trade Center auch Hunderte unschuldiger Muslime tötete, scheint die wachsende Zahl seiner Sympathisanten nicht zu stören.

Der Hass auf beiden Seiten wächst. Der Traum von einem friedlichen und konstruktiven Zusammenleben unterschiedlicher Kulturen, Religionen und Gesellschaftsformen in unserer Welt scheint mit dem Einsturz der Twin Towers in weite Ferne gerückt zu sein. Auch wenn man sich die Thesen Samuel Huntingtons zum Kampf der Kulturen nicht zu eigen macht, scheinen die Züge des Orients und des Okzidents mit zunehmender Geschwindigkeit aufeinander zuzurasen. Bei diesem Zusammenprall kann es nur Verlierer geben.

Schuld an dieser verhängnisvollen Entwicklung tragen beide Seiten. Der Westen hat mit seiner jahrhundertelangen, häufig erniedrigenden Kolonisierung muslimischer Länder viel dazu beigetragen, deren Entwicklung zu behindern und Hass in die Herzen der Menschen zu pflanzen. Seine postkoloniale Politik hat die Missstände in der muslimischen Welt weiter gefördert und intensiviert.

Die Bombardierung afghanischer Städte, die in erster Linie unschuldige Zivilpersonen und nicht die Führung der Taliban oder von al Qaida traf, hat auch bei gemäßigten Muslimen zu dem bitteren Gefühl geführt, dass unschuldige Afghanen weniger wert sind als unschuldige Amerikaner oder Europäer. Der ungelöste Nahost-Konflikt ist ein Punkt noch tieferer Enttäuschung und Frustration der muslimischen Welt.

Aber auch der muslimische Kulturkreis trägt Schuld an der explosiven Situation unserer Tage. Seine geistigen Führer haben viel zu lange zum Problem des Terrorismus, insbesondere des Selbstmordterrorismus, geschwiegen oder ihre Stimme zu leise erhoben. So ist es kein Wunder, dass im Westen meist nur die Befürworter des Selbstmordterrorismus gehört werden.

Woche für Woche beenden islamische Prediger ihre Freitagsgebete in den Moscheen Pakistans, Irans und anderer muslimischer Länder mit dem Ruf: ‚Tod den USA, Tod Israel!' Der Islam erscheint vielen Menschen im Westen immer stärker als kriegerische Religion, der Toleranz gegenüber Andersgläubigen fremd ist.

Ich weiß, dass der wahre Islam ganz anders ist. In dem wunderschönen 32. Vers der 5. Sure des Koran heißt es: ‚Wenn jemand einen Menschen tötet, so soll es sein, als hätte er die ganze Menschheit getötet. Und wenn jemand einem Menschen das Leben erhält, so soll es sein, als hätte er der ganzen Menschheit das Leben erhalten.'

Der Islam ist, obwohl der Koran ebenso wie die Bibel historisch begründete kriegerische Passagen enthält, in der Interpretation der überwältigenden Mehrheit seiner geistigen Führer eine tolerante Religion. Aber solange sich diese herrschende Meinung nicht deutlicher zu Wort meldet, wird sie im Westen als unbedeutende, politisch nicht relevante Minderheitsmeinung abgetan werden.

Die geistigen Führer der muslimischen Welt müssen daher laut und deutlich die Frage beantworten,

– wie sie zur Terrorstrategie Bin Ladens stehen, die sich in erster Linie gegen unschuldige Zivilpersonen richtet, und
– wie sie zu den terroristischen Selbstmordattentaten junger Palästinenser stehen, denen immer wieder unschuldige israelische Zivilpersonen zum Opfer fallen?

Sie sollten – das ist die zentrale Bitte meines Briefes – klarstellen, dass religiös begründeter Terrorismus kein heiliger Krieg, sondern eine Beleidigung des Namens Gottes ist. Sie sollten dem Terrorismus seine religiöse Maske vom Gesicht reißen und seine destruktiv nihilistischen Züge offen legen.

Sie wissen, dass ich die augenblickliche Antiterrorstrategie des Westens ausgesprochen kritisch betrachte. Ich bin ferner eher ein Anhänger der Politik Rabins als der Politik Scharons. Aber das Schweigen vieler geistiger Führer der islamischen Welt zum Terrorismus, die Denkstille der muslimischen Denker bedrücken mich genauso. Man kann auch durch Schweigen schuldig werden.

Der Kampf gegen den muslimischen Terrorismus und seinen religiös verbrämten Nihilismus kann nicht allein von der westlichen Welt geführt werden, er muss auch in der muslimischen Welt ausgefochten werden. Wir werden den Teufelskreis von Terror und Gegenterror nur beenden können, wenn wir uns alle, gleichgültig welcher Religion wir angehören, kompromisslos und klar gegen jede terroristische Gewalt gegen Zivilpersonen wenden.

Bomben sind auf beiden Seiten das falsche Mittel. Hass kann man nicht mit Gewalt besiegen, sondern nur mit Gerechtigkeit und Dialog. Orient und Okzident müssen es schaffen, eine moralische Koalition gegen den Terrorismus zu schmieden, in deren Mittelpunkt der Glaube an die Würde und den Wert jedes einzelnen Menschen steht, gleichgültig welchem Kulturkreis er angehört.

Die Erklärung der 55 führenden Palästinenser, die die Beendigung der palästinensischen Selbstmordattentate gegen Israel gefordert haben, war ein ermutigender Anfang. Gibt es nicht die Möglichkeit, auf diesem Weg weiterzugehen? Gibt es nicht die Möglichkeit, dass Sie zusammen mit Gleichgesinnten ein Treffen der Islamic World League initiieren, um zu diesem Thema klare Positionen zu formulieren?

Gibt es nicht darüber hinaus in der muslimischen Welt die große Tradition, religiöse und gesellschaftliche Probleme durch Briefwechsel zu lösen? Nicht nur der Prophet

Mohammed, sondern auch Imam Shafei, Imam Abu Hanifa, Imam Malik, Imam Ibn Hanbal und der große Sufi Mogaddedi-Alf-Thani haben ihre Botschaften, Lehrmeinungen und Thesen per Brief verkündet, präzisiert, verfeinert. Könnten Sie nicht einen derartigen Prozess zum Thema Terrorismus einleiten?

Diese innermuslimische Diskussion, diese Präzisierung der Positionen des Islam zum Terrorismus könnte sehr schnell in einen Dialog mit den geistigen Führern der westlichen Welt münden, an die Sie sicher ebenfalls brennende Fragen haben. Ich denke an die zahlreichen historischen Briefwechsel zwischen den geistigen Führern der muslimischen Welt und den geistigen Führern des Westens – vom Briefwechsel des Kalifen von Bagdad Harun Raschid mit Karl dem Großen bis zu Ihrem Briefwechsel mit Papst Johannes Paul II.

Die Kluft zwischen Islam, Judentum und Christentum mag groß sein, aber sie ist nicht unüberbrückbar. Alle drei sind abrahamitische Religionen, alle drei sind wunderschöne, wenn auch unterschiedliche Lieder an dieselbe Urkraft, denselben Schöpfer des Weltalls, denselben Gott. Alle drei sind in gleicher Weise dem Frieden verpflichtet.

Als der christliche Negus von Abessinien zu Beginn des 7. Jahrhunderts einer Gruppe verfolgter Muslime Asyl gewährte, wurde er von seinen Freunden hart kritisiert, weil zwischen Christen und Muslimen angeblich Welten lägen. Der Negus zeichnete daraufhin lächelnd mit seinem Stab eine feine Linie in den Sand und erklärte, diese hauchdünne Linie sei es, die zwischen Christentum und Islam liege, mehr nicht.

Es mag sein, dass die Linie zwischen den Religionen breiter geworden ist, dass sie zu einer Kluft geworden ist. Aber sie ist mit Sicherheit nicht so breit, dass wir sie nicht

wenigstens in der Frage des Terrorismus überwinden könnten. Wir müssen diesem Wahnsinn ein Ende setzen, damit
dieser Wahnsinn nicht uns allen ein Ende setzt.

Sie könnten zusammen mit anderen Führern der islamischen Welt einen entscheidenden Beitrag zur Überbrü-
ckung dieser Kluft leisten. Darum möchte ich Sie sehr herzlich bitten. In der Hoffnung, bald von Ihnen zu hören,
verbleibe ich

Ihr
Jürgen Todenhöfer"

Tantawy hat meinen Brief wie folgt beantwortet:

„Sehr geehrter Herr Todenhöfer,
Friede und Segen Allahs sei mit Ihnen! Ich habe Ihren Brief
erhalten und möchte Ihnen meine Wertschätzung ausdrü-
cken für die Mühe, die Sie auf sich nehmen, um ein korrek-
tes Bild des wahren Islams in Deutschland zu vermitteln,
damit ein Dialog auf sicheren und objektiven Fundamenten
stattfinden kann.

Schon unmittelbar nach der Aggression auf New York
und Washington am 11.9.2001 habe ich betont, dass der Islam zum Schutz des Lebens Unschuldiger aufruft, und dass
der Islam Blutvergießen verbietet. ...

Der Koran und die reinen Überlieferungen des Propheten (Ahadith) rufen die Menschen auf, sich einander zu erbarmen, sich für das Gute einzusetzen und Sünde und Aggression zu verwerfen.

In einem Vers des Koran erklärt uns Allah, der Erhabene, dass, wenn jemand einen Menschen tötet, es so ist, als ob
er die ganze Menschheit getötet habe.

,… *wenn jemand einen Menschen tötet, ohne dass dieser einen Mord begangen hat, oder ohne dass ein Unheil auf Erden geschehen ist, sei es so, als hätte er die ganze Menschheit getötet. Und wenn jemand einem Menschen das Leben erhält, sei es so, als hätte er der ganzen Menschheit das Leben erhalten …*' Sure 5, Vers 32.

Die Gesamtheit der islamischen Gebote ruft alle Menschen auf, zusammenzuarbeiten, um das Leben der Menschen zu schützen, gleichgültig ob sie Muslime, Christen oder Juden sind. Das gilt nur dann nicht, wenn ein Mensch einem anderen unrecht getan hat. Dann wird der Rechtsbrecher vor ein Gericht gestellt, das ihn so bestraft, dass er nicht rückfällig wird …

Der Islam ist gegen alle Formen und Facetten des Terrorismus. Er schützt und bewahrt das menschliche Leben. Wir stehen auf der Seite derjenigen, die ihr Land und ihre Würde verteidigen, da sie sich für das Recht einsetzen und verteidigen, was zu verteidigen ist. Terrorismus aber bekämpfen wir, weil er ein Unrecht gegen die Menschheit darstellt.

Wir sind nicht damit einverstanden, dass sich jemand inmitten unschuldiger Menschen, Frauen und Kinder in die Luft sprengt. Wer sich aber inmitten von Soldaten, die ihn töten wollen, oder inmitten einer Armee, die seine Heimat vergewaltigt, in die Luft sprengt, ist ein Märtyrer …

Jeder Mensch, ob Muslim oder Nicht-Muslim, also unabhängig vom Glauben, ist berechtigt, sich zu verteidigen. Dieser Sachverhalt ist integraler Bestandteil allen Rechts und entspricht der menschlichen Logik. Der Koran spricht eindeutig vom Recht auf Selbstverteidigung:

,*Jedoch trifft kein Tadel jene, die sich wehren, nachdem ihnen Unrecht widerfahren ist.*' Sure 42, Vers 41.

Dies sind die Worte Allahs. Wer den Aggressor bekämpft

und sich und sein Land verteidigt, dem wird Allah, der Erhabene, zur Seite stehen und ihn verteidigen. Ihn trifft deswegen keine Sünde. Eine harte Strafe wartet auf diejenigen, die den Menschen unrecht tun und Unheil auf Erden verbreiten.

Es steht außer Zweifel, dass jeder Staat, der einen Terroristen, der rechtlich verurteilt wurde, beherbergt und ihm Unterschlupf bietet, ein terroristischer Staat ist. Dieser Staat soll nach islamischem Recht, nach menschlichem Verstand und nach geltendem Recht geächtet werden.

Wer Terrorismus fördert, wird selbst am Terrorismus zugrunde gehen.

Zur Menschlichkeit des Islams während eines Krieges erkläre ich Folgendes:

Der Islam hat für den Kampf in bestimmten Fällen konkrete Regeln vorgeschrieben. Er ruft zum Kampf nur gegen diejenigen auf, die sich zum Kampf gegen ihn gerüstet haben. Aber er verbietet die Tötung von alten Menschen, Frauen und von Kindern, er verbietet auch die Zerstörung des Ackerbaus und das Fällen nutzbringender Bäume sowie das Abschlachten von Tieren, wenn sie nicht zum Verzehr vorgesehen sind.

Ich kenne keine Religion wie den Islam, die Menschlichkeit, Erbarmen, Gerechtigkeit und Toleranz in kriegerischen Auseinandersetzungen in derartig umfassender Weise sogar auf Feinde ausdehnt.

In der Schlacht von Mu'taa kam der Armeeführer Abdullah Ibn Rauaha zum Propheten, Allahs Friede sei mit ihm, und sagte: ,*Oh Prophet Gottes, gib mir einen Ratschlag.*' Der Prophet, Allahs Friede sei mit ihm, antwortete: ,*Du sollst Allahs viel gedenken.*' Er bat um mehr Ratschläge, und der Prophet antwortete: ,*Ihr sollt nicht ausbeuten, keinen Verrat begehen, kein Neugeborenes, kein Kind, keine Frau und keine Jugendlichen töten und keinen Baum*

fällen. Ihr werdet Menschen begegnen, die sich in Gebets-
häusern aufhalten, ihr dürft sie nicht stören.'

Der erste Kalif der Muslime, Abu Bakr, befahl seiner Armee unter der Führung von Usama Ibn Zaid: *‚Befolgt diese*
zehn Ratschläge: Begeht keinen Verrat! Betreibt keine Aus-
beutung! Seid nicht arglistig! Verstümmelt niemanden! Tö-
tet keine Kinder, keine alten Menschen und keine Frauen!
Vernichtet und verbrennt keine Dattelpalmen! Fällt keine
nutzbringenden Bäume! Schlachtet kein Schaf, keine Kuh,
kein Kamel, es sei denn zur Nahrung! Ihr werdet Menschen
antreffen, die der Welt entsagt haben und in Zurückgezogen-
heit leben; lasst sie in ihrer Andacht in Frieden! Ihr werdet
Menschen begegnen, die euch verschiedene Speisen anbieten.
Wenn ihr etwas davon esst, so sollt ihr dabei Allahs Namen
aussprechen.'

Der Islam definierte die Anwendung der Menschlichkeit
in Friedens- und in Kriegszeiten lange bevor die Moderne
hierzu internationale Verträge und Abkommen erarbeitete.

Die islamische Forschungsakademie von Al-Azhar, ein
Gremium, in dem die höchsten Gelehrten der Al-Azhar
vertreten sind, ist am 1.11.2001 unter meinem Vorsitz zu-
sammengekommen und hat eine Erklärung über das Phänomen des Terrorismus aus islamischer Sicht verfasst.

Ich führe hier die wichtigsten Punkte auf:
- Der Islam betrachtet die Vielfalt der religiösen Wege, der
  Völkergemeinschaften, Nationen, Kulturen und Zivilisa-
  tionen als göttliche Ordnung, als universelles Gesetz, das
  unveränderlich bleibt, da Allah, der Erhabene, sagt:
  Und hätte dein Herr es gewollt, so hätte Er die Menschen
  alle zu einer einzigen Gemeinde gemacht; doch sie wollten
  nicht davon ablassen, uneins zu sein … Sure 11, Vers 118.
- Das Zusammenleben, der Dialog und das gegenseitige
  Erkennen zwischen Völkern und Nationen sind der

Weg zum Erhalt dieser Vielfalt. Alle sind verpflichtet, gemeinsam für das Gute einzustehen und das Schlechte und die Feindseligkeit zu verwerfen...

– Das Zusammenleben der Nationen und Völker und der Fortschritt der Menschheit hängen von der Omnipräsenz der Ethik und der religiösen Werte – vor allem der Gerechtigkeit – und vom Respektieren der Grundsätze des internationalen Rechts und der Autorität der internationalen Institutionen ab.

– Terrorismus bedeutet: Friedfertige in Angst zu versetzen, deren Interessen und Lebensgrundlagen zu zerstören. Terrorismus ist ein Angriff auf ihr Hab und Gut, ihre Ehre und Freiheit und ihre Menschenwürde. Er verbreitet Verderbnis und Unheil auf Erden. Jedem Staat, der von verbrecherischem Terror heimgesucht wird, gebietet das Recht, nach den Verbrechern zu suchen und sie den juristischen Institutionen zu überstellen, damit ein gerechtes Urteil über sie gefällt wird.

– Dschihad gemäß dem Islam bedeutet, das Äußerste an Mühe aufzubringen, das Recht zu unterstützen, das Unrecht zu bekämpfen und Gerechtigkeit, Frieden und Sicherheit in allen Lebensbereichen umzusetzen.

– Man darf auf den Kampf (arab. Al-Qital), den der Islam in absoluten Ausnahmesituationen legitimiert, nur in zwei Situationen zurückgreifen:

 – Um die Heimat gegen territoriale Okkupation, Ausplünderung der Ressourcen, gegen Vertragsbruch und Siedlungskolonialismus (einschließlich seiner Unterstützer), der zur Vertreibung der Muslime aus ihrer Heimat führt, zu verteidigen.

 – Oder wenn Muslime unter Druck gesetzt werden, ihren Glauben zu wechseln.

Dies ist im folgenden Koranwort begründet:

,Allah verbietet euch nicht, gegen jene, die euch nicht des Glaubens wegen bekämpft haben und euch nicht aus euren Häusern vertrieben haben, gütig zu sein und redlich mit ihnen zu verfahren; gewiss, Allah liebt die Gerechten.

Doch Allah verbietet euch, mit denen, die euch des Glaubens wegen bekämpft haben und euch aus euren Häusern vertrieben und geholfen haben, euch zu vertreiben, Freundschaft zu schließen. Wer mit ihnen Freundschaft schließt – das sind Missetäter.' Sure 60, Vers 8 und 9.

– Auch für den Fall, dass Muslime zum Kampf gezwungen werden, um ihre Heimat zu verteidigen und ihre Glaubensfreiheit zu schützen, hat der Islam klare ethische Normen und Verhaltensregeln aufgestellt, wie z. B. das Verbot, Nicht-Kombattanten zu töten, ebenso Unschuldige, alte Menschen, Frauen und Kinder. Er verbietet auch Flüchtende zu verfolgen, sich Ergebende umzubringen, Gefangenen Schmerzen zuzufügen, Leichen zu schänden. Er verbietet weiterhin Einrichtungen, Stellungen und Bauten, die mit dem Kampf nichts zu tun haben, zu zerstören.

– Die israelische Kriegsmaschinerie raubt das Territorium der Palästinenser und befleckt Heiligtümer (Anm. d. Ü.: dies betrifft sowohl die islamischen wie auch die christlichen Heiligtümer) vor den Augen einiger Großmächte, während der palästinensische Widerstand sich darauf konzentriert, die Durchsetzung der verabschiedeten UN-Resolutionen zu erwirken.

– Der Kampf gegen den Terror, den die islamische Forschungsakademie unterstützt, rechtfertigt nicht den tyrannisierenden, gewaltsamen und grundlosen Angriff auf das arme und wehrlose afghanische Volk sowie dessen Städte, Dörfer, Moscheen, dessen alte Menschen,

Frauen und Kinder und dessen Lebensgrundlagen, ohne dass Ermittlungen zu den Geschehnissen vom 11.9.2001 aufgenommen worden waren.

- Die islamische Forschungsakademie der Al-Azhar sieht die Notwendigkeit der Unterscheidung zwischen dem erlaubten und, wie oben aufgeführt, ja sogar vorgeschriebenen Dschihad, nämlich die Heimat zu befreien und auf Aggression zu reagieren, und zwischen aggressiver Gewalt, die das Land anderer besetzt, die Regierungen anderer Länder gewaltsam oder durch eine Invasion stürzt, oder die Souveränität nationaler Regierungen auf ihrem Territorium einschränkt oder friedfertige Zivilisten in Angst und Schrecken versetzt und sie zu elenden Flüchtlingen werden lässt.

- Die islamische Forschungsakademie von Al-Azhar lehnt die Thesen ‚Clash of Civilisations‘, ‚Krieg der Religionen‘ und ‚Kampf der Kulturen‘ ab, da sie den geistigen Nährboden für den Angriff von Tyrannen auf die Schwachen bietet.

- Die Akademie sieht die Notwendigkeit:
  - der Wiederherstellung des Respekts vor den Grundlagen der menschlichen Gerechtigkeit,
  - der Rückkehr zu den Grundsätzen des internationalen Rechts und zu den internationalen Institutionen,
  - der verpflichtenden Einhaltung eines einheitlichen Maßstabes im Bezug auf die Souveränität der Völker und deren Selbstbestimmungsrecht und
  - der Rückbesinnung auf die religiöse Werteordnung, die von allen monotheistischen Religionen anerkannt wird.

Dies ist der Garant zur Heilung der Ursachen der Krankheiten, von denen unsere zeitgenössische Welt befallen ist.

Gewalt der Tyrannen erzeugt Gegengewalt der Unterdrückten und Schwachen!

Im Bewusstsein der Verantwortung vor Gott und den Menschen appelliert die islamische Forschungsakademie von Al-Azhar mit dieser Erklärung an alle Vernünftigen dieser Welt, in der Hoffnung, Gerechtigkeit und Frieden in der Welt zu erreichen. Sie fleht Allah, den Allmächtigen, an, er möge allen den rechten Pfad weisen.

Meine Wertschätzung und meine Grüße
Dr. Mohamed Said Tantawy,
Sheikh Al-Azhar"

Die F.A.Z. hat meinen Briefwechsel mit dem Grand Imam Ende November 2002 veröffentlicht. Einige der Thesen Tantawys werden immer kontrovers bleiben. Uneingeschränkt positiv ist die unmissverständliche Ablehnung jeder Form von Gewalt gegen Zivilpersonen. Es wäre wichtig, wenn der Westen ähnlich klare Worte zur Gewalt gegen Zivilpersonen fände – z. B. in der Diskussion über den Afghanistankrieg und über den geplanten Krieg gegen den Irak.

XXIV.

Als im Frühjahr 2002 deutlich wurde, dass die Führungsmannschaft von al Qaida der amerikanischen Kriegsmaschinerie entkommen war, schob die Bush-Administration mit
allen Mitteln moderner PR-Politik ein anderes Thema in
den Vordergrund: Saddam Hussein und den Irak. Zwar
hatte Verteidigungsminister Donald Rumsfeld schon am
13. September im amerikanischen Kriegskabinett darauf
hingewiesen, der Zeitpunkt sei günstig, endlich auch das lei-
dige Problem Saddam zu erledigen, und diese Forderung in
den folgenden Wochen gebetsmühlenartig wiederholt.

Aber erst als dem Anti-Bin-Laden-Krieg die Erfolgsmel-
dungen ausgingen, gelang es Donald Rumsfeld zusammen
mit seinem Stellvertreter Paul Wolfowitz und dem Chair-
man of the Defense Policy Board, meinem alten Freund Richard Perle, das Thema Saddam Hussein zum Thema Nummer 1 der amerikanischen Außenpolitik zu machen.

Saddam Hussein, der bis dahin in den Erklärungen aller
amerikanischen Regierungen der letzten zwölf Jahre „lediglich" ein schrecklicher Diktator mit krankhaftem Hang zu
Massenvernichtungswaffen war, wurde trotz seiner säkularistischen Politik kurzerhand zum Mäzen des fundamentalistischen Terrorismus umfunktioniert. Amerikas Lieb-
lingsfeind Saddam war ab sofort selbst ein schrecklicher
Terrorist, der mit seinen Massenvernichtungswaffen die Sicherheit der Vereinigten Staaten unmittelbar bedrohte.

Ich hatte viel über den Irak gelesen, dieses Land zwischen
Euphrat und Tigris, dessen Hauptstadt Bagdad einst die
Hauptstadt der Welt gewesen war. Der Irak, ein von den
westlichen Kolonialmächten aus der Erbmasse des Osma-
nischen Reiches zusammengeschustertes Kunstgebilde, ein

ethnischer Flickenteppich aus Arabern, Kurden, Turkmenen und Assyrern, stand seit über 100 Jahren im Fokus westlicher Begehrlichkeiten. Vor allem Briten, Franzosen und Amerikaner hatten sich jahrzehntelang um seine reichen Erdölvorräte gestritten. Zeitweise stellte British Petroleum (BP) in London nicht nur den britischen Botschafter im Irak, sondern legte auch fest, wer Premierminister in Bagdad wurde.

Standen auch jetzt wieder Ölinteressen hinter dem plötzlich so dringenden Ziel der US-Administration, Saddam Hussein zu stürzen? Oder ging es wirklich um das ernste Thema Massenvernichtungswaffen in den Händen des internationalen Terrorismus?

Ich beschloss, zusammen mit meinem 18-jährigen Sohn Frédéric dem „Reich des Bösen" einen Besuch abzustatten, um mir ein eigenes Bild von der Lage im Irak zu machen. Die ganze Welt diskutierte über Afghanistan und den Irak. Aber die meisten Politiker, die darüber redeten oder entschieden, hatten diese Länder noch nie besucht. Viele hätten Afghanistan vor zwei Jahren nicht einmal auf der Landkarte gefunden. Noch heute halten manche Politiker Afghanistan für ein arabisches und nicht für ein zentralasiatisches Land. Afghanistan und der Irak liegen für viele auf der erdabgewandten Seite des Mondes.

Der Versuch, ein Visum für den Irak zu bekommen, gestaltete sich äußerst schwierig. Voraussetzung für ein Visum war eine persönliche Einladung aus dem Irak. Wo sollte ich die herbekommen? Erst nach langem Hin und Her gelang es mir, mit Hilfe des Hammer-Forums, einer deutschen Hilfsorganisation für Kinder in Krisengebieten, von einer arabischen Organisation eingeladen zu werden.

Trotzdem kamen und kamen die Visa nicht bei mir an. Vielleicht hatte die irakische Botschaft meinen Artikel in der *Frankfurter Rundschau* gelesen, in dem ich mich sehr kritisch mit dem Tyrannen vom Tigris auseinander gesetzt hatte. Wahrscheinlich kam es den Irakis auch suspekt vor, dass ein deutscher Verlagsmanager und Expolitiker zusammen mit seinem Sohn an Ostern eine Woche im Irak verbringen wollte. Seit dem Golfkrieg hatte angeblich kein deutscher Politiker mehr den Irak besucht. Erst nach langem Hin und Her und mehreren Telefonaten mit dem irakischen Geschäftsträger in Deutschland trafen die Visa wenige Tage vor Ostern ein.

Frédéric hatte ich nur gesagt, dass wir endlich einmal eine gemeinsame Reise unternehmen würden – nur wir zwei zusammen. Wohin die Reise ging, würde ich ihm erst am Tag der Abreise sagen. Frédérics Augen hatten gestrahlt. Er war fest davon überzeugt, eine phantastische Luxusreise vor sich zu haben, auf die Bahamas, die Antillen oder einen ähnlich schönen Platz dieser Erde.

Als ich ihm am Morgen unserer Abreise erzählte, dass wir in den Irak fliegen würden, machte er ein langes Gesicht. Seine Freunde waren jetzt Skifahren oder im sonnigen Süden und er sollte mit mir in dieses gottverdammte Reich des Bösen fahren. Er sagte kein Wort.

Erst als wir im Flugzeug Richtung Jordanien saßen, sagte er leise, aber sehr bestimmt: „Damit eins klar ist: Ich gehe überall mit. Aber zu Saddam Hussein und seinen Leuten bringen mich keine zehn Pferde. Die werden sowieso demnächst alle platt gemacht." Dann war für lange Zeit Sendepause. Bagdad stand auf der Hitliste von Frédérics Reiseplänen nicht sehr weit oben.

In Amman stiegen wir in eine Maschine der Royal Jordanian um, die bis auf den letzten Platz mit gut gekleideten, meist gut genährten arabischen Geschäftsleuten gefüllt war. Die Royal Jordanian flog erst seit kurzem viermal pro Woche Bagdad an. An den anderen Tagen musste man sich in einer 12-stündigen Taxireise quer durch die Wüste nach Bagdad durchschlagen.

Wir landeten in Bagdad gegen 24.00 Uhr. Der irakische Geschäftsträger in Deutschland hatte mir angeboten, mich vom Flughafen abholen zu lassen, aber ich hatte dankend abgelehnt. Ich wollte meine Kontakte zu offiziellen irakischen Stellen auf das unumgehbare Minimum beschränken. Dafür lernten wir am Flughafen die Segnungen der irakischen Bürokratie kennen. Zwei Stunden lang füllten wir Fragebogen und Formulare aus, standen Schlange an irgendwelchen Kontrollhäuschen, aus denen die Beamten immer wieder für 20 Minuten zum Plaudern oder zum Kaffeetrinken entschwanden.

Ich erlebte eine der intensivsten Kofferkontrollen meines Lebens und musste mich sehr beherrschen, um nicht ausfallend zu werden. Als ich vor den Augen meines Sohnes und mehrerer Mitpassagiere meinen gesamten Kulturbeutel ausleeren musste und auf Deutsch kräftig zu fluchen anfing, erhellte sich endlich das Gesicht meines Sohnes, der den ganzen Flug über mürrisch neben mir gesessen hatte. „War schon eine tolle Idee, in den Irak zu reisen", grinste er. „Jetzt weiß ich endlich, was Männer in deinem Alter so alles mitschleppen."

Am Schluss mussten wir noch in einem kleinen Nebenraum einem Zollbeamten unser Geld vorzählen. Mit aller Seelenruhe zählte er zweimal nach. Dann lächelte er mich an und meinte, wenn er jetzt noch ein gutes Trinkgeld bekäme, hätten wir alle Kontrollen hinter uns. Er bekam sein Bakschisch, nickte huldvoll und gab uns den letzten Stempel, den wir zum Verlassen des Flughafens benötigten.

Um zwei Uhr saßen wir endlich im Taxi. Über eine mehrspurige, autobahnähnliche Straße ging es vorbei an den üblichen Pracht- und Triumphbauten totalitärer Staaten Richtung Rashid-Hotel. Todmüde kamen wir im Hotel an. Vor dem Eingang des Hotels war ein großes Bild von George Bush sen. in den Steinboden eingelassen mit der Inschrift „Bush is criminal". Saddam Hussein hatte es anfertigen lassen, nachdem im Januar 1993 bei einem amerikanischen Bombenangriff auf Bagdad ein Marschflugkörper im Garten des Hotels eingeschlagen war und einen irakischen Pförtner und einen jordanischen Gast getötet hatte. Wir fielen dem Wachpersonal sofort auf, weil wir mit einigen Verrenkungen versuchten, Bush sen. nicht ins Gesicht zu treten und doch ins Hotel zu gelangen.

Es war längst drei Uhr vorbei, als wir endlich in unseren Betten lagen. Ich hatte meinem Sohn noch eingeschärft, vom Hotelzimmer aus keine Telefonate zu führen und sich in seinem Zimmer mit niemandem über politische Fragen zu unterhalten. Das Rashid-Hotel, früher Schauplatz großer internationaler Konferenzen, war berühmt für seine perfekten Abhör- und Videoanlagen. Dann gab ich der Rezeption durch, dass wir vor 10.00 Uhr von niemandem gestört werden wollten. Wir waren erst um 12.00 Uhr mit dem Leiter von UNICEF verabredet, hatten also Zeit, etwas auszuschlafen.

Ich fiel in einen tiefen Schlaf, der allerdings viel kürzer ausfiel, als ich mir ausgemalt hatte. Denn schon um 7.00 Uhr stand eine korpulente irakische Dame in meinem Zimmer, das ich offenbar nicht abgeschlossen hatte, und redete in unverständlichem Englisch auf mich ein. Mir riss der Geduldsfaden. Ich warf die Dame aus dem Zimmer, schloss die Tür ab und legte mich wieder schlafen.

Aber nur wenige Minuten später hämmerte jemand gegen meine Tür. Es war mein Sohn. Er erklärte mir völlig verschlafen, unten warte der Chef von UNICEF. Wir müssten uns in einer Stunde zusammen mit ihm im Außenministerium einfinden, um unser Besuchsprogramm durchzusprechen. Ich habe selten so geflucht wie an diesem Morgen. Meinem Sohn allerdings schien mein Ärger Spaß zu bereiten.

Eine Dreiviertelstunde später fuhren wir zusammen mit dem Leiter des Bagdader UNICEF-Büros Carel de Rooy Richtung Außenministerium. De Rooy war ein liebenswürdiger, bärtiger Holländer, etwa 45 Jahre alt. Ich hatte ihm vor meiner Abreise meine Besuchswünsche mitgeteilt, und er hatte mit viel Mühe ein Programm zusammengestellt. Ich wollte mir einen Eindruck von der Lage der irakischen Bevölkerung verschaffen, Schulen, Krankenhäuser besichtigen und vor allem mit vielen Menschen reden. Politische Gespräche wollte ich keine führen. Insbesondere wollte ich keinen Kontakt zur Staatsführung, weil ich mir nicht vorwerfen lassen wollte, ich hätte mich von Saddams Leuten instrumentalisieren lassen.

Ich ging deshalb nicht nur recht müde, sondern auch recht mürrisch ins irakische Außenministerium. De Rooy hatte mir erklärt, dass ohne einen solchen Kurzbesuch auf Arbeitsebene keiner meiner Besuchswünsche erfüllt würde. Er müsse ohnehin jeden Morgen antreten, um sich die jeweiligen Besuchserlaubnisse für mich abzuholen.

Unsere Gesprächspartnerin im irakischen Außenministerium war Frau Dr. Hashimi Aquila, eine etwa 50-jährige Abteilungsleiterin, die parallel zu ihrer Tätigkeit als Diplomatin Vorlesungen an der Bagdad-Universität hielt. Sie stammte aus der jordanischen Königsfamilie und erwies sich als eine sehr kultivierte Frau.

Sie benötigte während unseres Gesprächs ihre ganze Selbstbeherrschung, da ich ihr Fragen zur Politik Saddam Husseins stellte, die sie von Besuchern des Irak offenbar nicht gewohnt war – Fragen nach der Behandlung Oppositioneller, nach Saddams Prachtpalästen und Ähnlichem. Unser Gespräch stand mehrere Male kurz vor dem Abbruch.

Frédéric notierte in seinem Notizbuch: „P. (das sollte Papa heißen) kritisiert und kritisiert – Er fordert mehr Geld für Kinder statt für Paläste und die Einhaltung der Menschenrechte – Sie verbittet sich seine Belehrungen – P. sagt, er habe nicht um dieses Gespräch gebeten – Sie sagt, die Argumentation des Westens sei heuchlerisch (hypocritical), niemand verletze die Menschenrechte mehr als die USA – P. kritisiert, dass ihre Regierung die USA ständig beleidige – Sie sagt, niemand im Irak hasse die USA, aber die Bomben und die Sanktionen hätten zu Bitterkeit geführt – P. sagt, er sei gegenüber ihrer Regierung und ihrem Präsidenten sehr kritisch, habe aber Sympathie für die Menschen – Sie schweigt – P. sagt, er habe zwar nur ein Touristenvisum, aber er würde gerne ein Gefängnis besichtigen und mit Studenten diskutieren. Aber er wolle keine inszenierten Veranstaltungen (keinen „faked shit") – Sie sagt, sie werde sehen, was sich machen lasse. P. solle dann aber auch die Friedhöfe und die vielen Kindergräber besuchen, der Westen töte ihr Volk – P. sagt, niemand habe den Irak gezwungen, Kuwait zu überfallen – Das Gespräch wird immer härter, gleich fliegen wir raus."

Wahrscheinlich hat nur die Tatsache, dass Aquila wusste, dass ich auch die amerikanische Irakpolitik kritisch beurteilte, sie davon abgehalten, das Gespräch vorzeitig zu beenden. Ein UNO-Diplomat berichtete mir später, sie habe ihm erzählt, ich sei der einzige Besucher in ihrer langen Karriere gewesen, der sich nicht nur geweigert habe, die Regierungsspitze ihres Landes zu treffen, sondern der ihr auch noch gesagt habe, eigentlich habe er auch keine Lust, mit ihr zu sprechen. Sie hätte mir am liebsten die Gurgel umgedreht.

Trotz aller Meinungsverschiedenheiten war Frau Aquila eine interessante und kompetente Gesprächspartnerin. Das Gespräch dauerte fast drei Stunden. Zum Abschluss erklärte sie etwas erschöpft, aber freundlich, sie werde sich Mühe geben, die meisten meiner Besuchswünsche zu erfüllen.

XXV.

Draußen schlug uns die warme Frühlingsluft Bagdads entgegen. Wir fuhren in die Altstadt und schlenderten durch die Straßen und Gassen dieser einst so stolzen Stadt. Die Menschen lächelten uns freundlich an, obwohl uns die meisten für Amerikaner hielten. Immer wieder bot uns jemand ein Glas heißen, süßen Tees an, wollte mit uns anstoßen, uns eine kleine Freude machen. Vor allem Frédéric war von der Herzlichkeit der Menschen im „Reich des Bösen" völlig überrascht.

Trotz der Liebenswürdigkeit der Menschen liegt über der Stadt eine große Tristesse. Die Häuser verfallen, die Not des Landes ist unübersehbar. Die einzige Ausnahme bildet Al Arasat, das Viertel der Sanktionsgewinnler und Schmuggelkönige. Aber Al Arasat ist nicht Bagdad. Bagdad ist eine tief verwundete, gebrochene Stadt, auch wenn seine Bewohner alles tun, um sich ihre Hoffnungslosigkeit nicht anmerken zu lassen.

Am Abend saßen mein Sohn und ich mit fünf jungen Irakis in einem kleinen Antiquitätenladen vor einem winzigen Fernseher. Wir warteten auf den Beginn des Champions-League-Spiels Bayern München gegen Real Madrid. Aber statt Oliver Kahn und Zinedine Zidane erschien auf dem Bildschirm plötzlich Iraks Präsident Saddam Hussein. Er hatte wegen des eskalierenden Nahostkonflikts eine Kabinettssitzung einberufen, über die auf allen Kanälen breit berichtet wurde.

Nur mühsam konnten die jungen Irakis ihre Enttäuschung verbergen. Aber sie waren offenbar den Personenkult ihres Diktators gewohnt. Tausende von meterhohen Standbildern und Denkmälern zeigen den Selbstdarsteller im ganzen Land in allen Posen und Kostümen. Niemand würde es wagen, darüber zu spotten. Saddam hat sein Volk fest im Griff. Die Opposition ist liquidiert oder vertrieben. Mit den autonomen Kurden im Nordirak hat er sich seit einiger Zeit gezwungenermaßen arrangiert. Auch der schiitischen Führung im Süden des Landes, die er früher gnadenlos verfolgen ließ, kommt er inzwischen entgegen. Zwar duldet er noch immer keine fundamentalistischen Strömungen, aber überall im Land baut er neue Moscheen. Saddam Hussein versucht, die Reihen hinter sich zu schließen.

Als ich den jungen Irakis zu erklären versuchte, warum die USA Saddam Hussein neben Bin Laden zum Staatsfeind Nummer 1 erklärt hatten, als ich sie auf seinen Giftgaseinsatz vor 14 Jahren gegen die Kurden hinwies, ihnen die Invasion Kuwaits vorhielt, die Sorge der westlichen Welt wegen der Produktion chemischer und biologischer Waffen im Irak erklärte, über die schweren Menschenrechtsverletzungen im Irak sprach und sie fragte, was sie von Saddams menschenverachtenden Äußerungen nach dem 11. September hielten, wurde es still in dem kleinen Laden.

Das Fernsehgerät war längst ausgeschaltet. Im Hintergrund lief leise ein Radio. Der Sender, der Saddam Husseins Sohn Udai gehört, brachte amerikanische Musik. Britney Spears sang „Oops I did it again" und Robbie Williams seinen Hit „Angel". Für einen Augenblick vergaß ich, dass ich im Irak war.

Dann nahm sich Ahmed, ein schmächtiger 20-jähriger Architekturstudent mit etwas zu großer Nickelbrille, ein Herz, holte tief Luft und sagte, er könne viele meiner Fragen nicht beantworten, aber er wolle gerne einige Gegenfragen stellen. Dann fragte er mit leiser Stimme:

„Warum kritisiert ihr in Europa immer nur kleine Länder wie den Irak, warum habt ihr nie den Mut, den USA ihre doppelte Moral vorzuhalten? Wenn es den USA wirklich um Menschenrechte geht, warum lädt dann Präsident Bush den saudi-arabischen Regenten Abdullah, der sein Land im finstersten Talibanstil regierte, auf seine Farm in Texas ein? Wenn es den USA wirklich um Rüstungskontrolle in der Region geht, warum rüsten sie dann unter Verletzung aller UN-Resolutionen Iraks Nachbarn Ägypten, Saudi-Arabien und Israel auf? Warum wird der Irak wegen der siebenmonatigen Besetzung Kuwaits seit 11 Jahren gnadenlos bestraft, während Großbritannien wegen seiner jahrelangen Besetzung Iraks auch nicht einen Tag lang mit Sanktionen belegt worden ist? Warum konzentrieren sich die USA im Nahen Osten seit Jahren auf den Irak, während sie den israelisch-palästinensischen Konflikt in einer Weise eskalieren lassen, die die ganze Region destabilisiert?"

Wir diskutierten die halbe Nacht, ergebnislos. Die jungen Irakis verteidigten selbst die Prachtpaläste Saddams. Sie seien Volkspaläste, zu denen an bestimmten Tagen auch die Bevölkerung Zutritt habe. Ihr Bau schaffe Arbeitsplätze. Sie gehörten zu den wenigen Dingen, auf die die Irakis noch stolz sein könnten.

Staunend höre ich zu. Stand wirklich die gesamte Jugend des Irak geschlossen hinter Saddam Hussein? Als wir uns trennten, flüsterte mir einer der jungen Irakis, als er sich für einen Augenblick unbeobachtet fühlte, ins Ohr: „Sie dürfen nicht alles glauben, was Ihnen heute gesagt wurde. Es gibt auch viele Menschen, die Saddam hassen." Dann ging er schnell zu seinen Freunden zurück.

Am nächsten Morgen besuchten wir mit UNICEF das staatliche Kinderkrankenhaus Ibn el Baladi in Saddam-City, dem ärmsten Stadtteil Bagdads. Das Krankenhaus war wie die meisten Krankenhäuser Bagdads in einem ordentlichen Zustand. Hauptproblem war der Mangel an Medikamenten.

So konnte zum Beispiel nur ein Viertel der schweren Bronchitisfälle mit Antibiotika behandelt werden. Manchmal gab das UN-Sanktionskomitee statt der beantragten Spritzen nur die Nadeln frei. Die Ampullen kamen dann sechs Monate später. Die Kindersterblichkeit im Irak war seit Verhängung der Sanktionen 1991 laut UNICEF-Jahresbericht 2001 um das Zweieinhalbfache gestiegen. Das war der höchste Sterblichkeitszuwachs aller 188 von UNICEF untersuchten Länder dieser Welt.

Die mörderische Kombination, die Kleinkinder das Leben kostete und kostet, hieß Unterernährung, verseuchtes Wasser und unzureichende medizinische Versorgung – unbestreitbare Folgen der UN-Sanktionen.

Häufig mischten die Frauen Milchpulver mit verseuchtem Wasser. In den ländlichen Gebieten waren inzwischen 55 Prozent des Wassers verseucht. Die Versorgung mit sauberem Wasser wurde von Jahr zu Jahr schwieriger, weil das Sanktionskomitee die Genehmigung von Maschinen, Röhren und Chemikalien zur Herstellung sauberen Trinkwassers immer wieder blockierte – angeblich, weil man damit auch Waffen herstellen konnte.

In einem kleinen Zimmer kauerten elf junge Frauen auf Feldbetten, ihre kranken Babys in den Armen. Die 57-jährige Ärztin sagte uns leise, dass zwei der Frauen ihr Kind verlieren würden, darunter die 24-jährige Indira, eine hübsche Irakerin, deren 14 Monate junges Baby statt 9 nur 3,8 Kilo wog. „Ich habe keine Kraft mehr", sagte die Ärztin resigniert. „Die Kinder sterben an einfachen Infektionskrankheiten, an Durchfall, an Diphtherie, sie sterben mir unter den Händen weg."

Am nächsten Tag waren wir in einer Grundschule in Saddam-City. Sie war wie die meisten Gebäude dieses Stadtteils in den goldenen sechziger Jahren gebaut worden, als der Irak noch eine Zukunft hatte und Liebling des Westens war. Seit Beginn der Sanktionen zerfiel die Schule wie das ganze Land. Es gab keine Toiletten, keine Heizung, kein elektrisches Licht und keine Fensterscheiben mehr. Im Winter wurde bei Minusgraden unterrichtet.

Trotzdem waren die Kinder mit Begeisterung bei der Sache. Wie in Deutschland wollten die meisten Jungs gerne Fußballspieler und die meisten Mädchen gerne Ärztinnen werden. Die Sanktionen sorgten seit Jahren dafür, dass kaum eines der Kinder seine Träume realisieren konnte. In den oberen Klassen blieben viele dem Unterricht fern, um mitzuhelfen, ihre Familien zu ernähren.

UNICEF hatte für durchschnittlich 15 000 Dollar einige der Grundschulen Bagdads renoviert. Als wir eine dieser Schulen besuchten, wurden wir von den Kindern mit Jubelstürmen empfangen. Die Hilfsorganisationen UNICEF, UNDP, Care und Enfants du Monde sind für die kleinen Irakis der einzige Lichtblick in ihrer trostlosen Welt.

XXVI.

Anschließend besichtigten wir Dar al Rahma, ein Heim für verlassene Straßenkinder in Bagdad, ein Pilotprojekt von UNICEF und der französischen Hilfsorganisation Enfants du Monde. Vor der Verhängung der Sanktionen war das Problem von Kinderarbeit und Straßenkindern im Irak weitgehend unbekannt. Jetzt ging die Zahl der allein in Bagdad herumstreunenden, verlassenen Kinder in die Zehntausende.

Meist schloss die Polizei die Augen. Aber sobald die Kinder mit dem Gesetz in Konflikt kamen, griff sie zu. Wenn die Eltern ihre Kinder nicht spätestens nach einem Monat abholten, verschwanden sie für Jahre in so genannten Erziehungsanstalten, die in Wirklichkeit Jugendgefängnisse waren.

Die Kinder drängten sich um Patrick, einen 29-jährigen Franzosen, der aussieht wie Andre Agassi und das Heim im Auftrag von Enfants du Monde betreute. Sie klammerten sich an ihn, meinen Sohn und mich. Sie suchten Zärtlichkeit, die ihnen sonst niemand gab. „Was der Westen mit den irakischen Kindern tut, ist beschämend", sagte Patrick leise. „Und noch beschämender ist, dass niemand dagegen protestiert."

Die Kinder wussten, dass bald wieder Krieg drohte. Immer wenn irakische Flugzeuge am Himmel auftauchten, starrten ihre dunklen Augen nach oben. Ein Junge fragte Patrick, ob es bald wieder Marschflugkörper regne.

Patrick bat Tanaya, ein 16-jähriges Mädchen, das seit drei Jahren in dem Heim lebte, zu erzählen, wie sie nach Dar al Rahma gekommen war. Tanaya ist ein mittelgroßes, sehr schlankes, scheues Mädchen mit kurzen schwarzen Haaren, tiefdunklen, sehr traurigen Augen und einer fast

europäisch hellen Gesichtsfarbe. Mit stockenden, etwas unbeholfenen Worten erzählte sie ihre Geschichte. Patrick
setzte sich neben sie und schrieb mit.

„Ich heiße Tanaya und bin 16 Jahre alt. Seit meiner Geburt wohne ich in Bagdad, im Irak. Ich kenne die Straßen
der Stadt und die Ufer des Tigris. Ich bin früher sehr gerne
in den Straßen von Bagdad spazieren gegangen.

Man hat mir gesagt, ich sei ein Straßenkind. Aber ich
habe gesagt, das sei nicht wahr. In Bagdad ist das nämlich
eine Beleidigung. Man hat behauptet, ich sei ein Straßenkind, weil ich mit meinen Freunden auf der Straße lebte.
Früher habe es keine Straßenkinder in Bagdad gegeben.
Früher, das war, bevor man die Tür meines Landes verschlossen hat. Das war vor elf Jahren. Aber daran erinnere
ich mich nicht. Ich war damals erst fünf, und meine Mutter
lebte noch.

Nach dem Tod meiner Mutter hat sich mein Vater völlig
verändert. Er hat sich nicht mehr um uns gekümmert, auch
nicht um Zaeneb, meine kleine Schwester. Er wurde sehr
böse. Er hat uns geschlagen, und es war besser, ihm aus
dem Weg zu gehen. Aber wenn er uns rief, mussten wir
kommen. Zwar konnte er uns nicht fangen, weil er blind
ist. Aber er war unser Vater, und wir mussten gehorchen.

Eines Morgens im Winter, als ich wie immer mit meiner
kleinen Schwester in selben Bett schlief, wachte ich auf und
hörte, wie Papa mit Leuten sprach, die ich nicht kannte.
Dann kam Papa ins Zimmer, nahm Zaeneb und gab sie den
Leuten. Zaeneb schrie, aber ich konnte nichts machen, ich
war zu klein.

Danach kam Papa ins Haus zurück. Es war ein richtiges
Haus mit zwei Zimmern: der Küche, in der ich mit meiner
Schwester schlief, und einem kleinen Raum für Papa und
Mama. In der Küche lag eine Matratze, auf der wir beim Es-

157

sen saßen und auf der Zaeneb und ich nachts Seite an Seite schliefen.

Nachdem mein Vater Zaeneb gegen Geld an fremde Leute verkauft hatte, bin ich von zu Hause weggelaufen. Zaeneb war nicht mehr da und Mama auch nicht mehr.

Ich bin weit gelaufen. Ich wusste nicht wohin. Also bin ich einfach in den Straßen spazieren gegangen. Es gab überall so viele Leute, die irgendwohin liefen.

Am Abend bin ich Kindern begegnet, die mir etwas zu essen gegeben haben. Sie haben mir gesagt, dass sie etwas Geld verdienten, indem sie ihre Hand ausstreckten. Wir haben alle gemeinsam unter einer Brücke am Tigris geschlafen. Am nächsten Tag haben mir die anderen Kinder gezeigt, wie man zu Geld kam, wie man bettelte. Ich bin lange bei ihnen geblieben. Wir waren Tag und Nacht zusammen. Wir haben uns geholfen und beschützt.

Aber ich hätte gerne wieder ein Haus gehabt, so wie früher. Also bin ich eines Tages auf den Markt gegangen. Dort habe ich eine Frau gesehen, die Gemüse verkaufte und sehr lieb aussah. Ich habe ihr gesagt, dass ich alleine sei, dass meine Eltern gestorben seien und dass ich nicht wüsste, wo meine kleine Schwester sei.

Ich habe sie gebeten, bei ihr bleiben zu dürfen. Wir haben lange miteinander gesprochen. Und schließlich hat sie mich mit nach Hause genommen. Sie hat sich um mich gekümmert, und ich habe ihr ein bisschen im Haushalt geholfen. Ich war wieder glücklich.

Eines Tages ist die Frau gestorben. Ihr Mann hat mich in ein Haus gebracht, in dem man sich um mich kümmern sollte. Aber ich wurde eingeschlossen. Deshalb habe ich den Erwachsenen nicht gehorcht. Sie nannten mich ,ungehorsam' und haben mich nach Dar al Rahma geschickt.

Jetzt bin ich in Dar al Rahma, dem Haus der Barmherzigkeit. Das ist ein Zentrum für Straßenkinder. Ich bin seit drei Jahren hier. Ich darf nicht ausgehen, weil es draußen niemanden gibt, der sich um mich kümmert.

Aber ich würde gerne wieder raus und in den Straßen von Bagdad spazieren gehen. Ich möchte wieder Leute sehen, die irgendwohin gehen. Ich gehe nirgendwohin, weil man die Tür meines Landes verschlossen hat. Verschlossen von außen."

Als Frédéric und ich das Heim verließen, waren wir beide sehr still.

XXVII.

Die schlimmsten Jahre für die irakische Bevölkerung waren die Jahre 1991 bis 1996. Im ganzen Land herrschte eine kaum vorstellbare Hungersnot. Seit 1997 hat sich die Ernährungslage durch das „Öl-für-Nahrungsmittel-Programm" etwas verbessert. Das Programm erlaubt dem Irak, wieder offiziell Öl zu verkaufen. Die Erlöse gehen jedoch nicht an den Irak, sondern an die UNO, genauer gesagt an die Banque Nationale de Paris in New York.

Der Irak kann damit unter Kontrolle des von den USA dominierten UNO-Sanktionskomitees Lebensmittel, Medikamente und andere nichtmilitärische Güter kaufen. Außerdem werden mit einem Teil des Ölgeldes Reparationen an Kuwait und andere Staaten, Firmen und Personen bezahlt.

Der Irak erhält von den offiziellen Ölverkäufen nicht einen Cent zur freien Verfügung. Das hinderte Donald Rumsfeld nicht, in einem *Focus*-Interview im Stil eines orientalischen Märchenerzählers zum „Programm Öl für Nahrungsmittel" zu behaupten: „Wenn Sie sich ansehen, wohin das Geld aus den Ölverkäufen tatsächlich fließt, dann stellen Sie schnell fest: Davon kauft der Irak keine Nahrungsmittel für seine Bevölkerung." Rumsfeld weiß genau, dass das die Unwahrheit ist. Aber wo steht schon geschrieben, dass man über den Irak die Wahrheit sagen muss? In der Schlacht der Lügen ist offenbar alles erlaubt.

Frei verfügbare Einnahmen kann der Irak letztlich nur durch Öl-Schmuggel in die Nachbarstaaten Syrien, Türkei und Jordanien erzielen sowie durch „Kickback-Zahlungen", die zum Beispiel Zwischenhändler unter der Hand für das preisgünstige irakische Öl leisten. Experten schätzen, dass der Irak auf diese Art in der Vergangenheit maximal drei Milliarden Dollar pro Jahr erlöst hat. Mit den Erlösen aus geschmuggeltem Öl und Kickback-Zahlungen muss der Irak nahezu seinen gesamten Staatshaushalt bezahlen, vom Straßenbau bis zum Sozialhaushalt. Ein geregeltes Steuersystem gibt es im Irak nicht.

All diese Einnahmen gingen 2002 jedoch stark zurück, da die UNO auf Druck der USA die Kickback-Zahlungen für reguläre Ölverkäufe erheblich erschwert hatte. Die Ölhändler mussten nun das irakische Öl kaufen, ohne vorher den Preis zu kennen. Erst Wochen nach Vertragsabschluss wurden ihnen die jeweiligen Preise von der UNO bekannt gegeben. Immer weniger Ölhändler waren zu derart seltsamen und riskanten Geschäften bereit. Der offizielle Ölverkauf ging dadurch deutlich zurück.

Von den 57,5 Milliarden Dollar, die der Irak von Dezember 1996 bis Oktober 2002 im Rahmen der offiziellen, über die UNO abgewickelten Ölverkäufe erlöst hatte, waren lediglich 25 Milliarden als Hilfslieferungen bei der irakischen Bevölkerung angekommen – pro Person monatlich weniger als 16 Dollar. 14 Milliarden Dollar waren von der UNO an das reiche Kuwait und andere Empfänger von Reparationen abgeführt worden. Der Rest wurde vom Sanktionskomitee der UNO blockiert oder steckte aufgrund des komplizierten und langwierigen Genehmigungsverfahrens in der endlosen Pipeline.

Entsprechend katastrophal war auch 2002 die wirtschaftliche und soziale Lage des Landes. Das Öl-für-Nahrungsmittel-Programm hatte, wie mir Tun Myat, der damals zuständige UN-Koordinator in Bagdad, erklärte, zwar „die humanitäre Katastrophe im Irak stabilisiert" – allerdings auf einem „unerträglich hohen Niveau".

Jeder der 23 Millionen Irakis erhält jetzt jeden Monat einen Essenskorb, der seine Grundversorgung mit Nahrungsmitteln quantitativ einigermaßen sicherstellt. Die monatliche Ration besteht vor allem aus neun Kilo Mehl, drei Kilo Reis, zwei Kilo Zucker, einem halben Kilo Linsen, einem viertel Kilo Bohnen und eineinviertel Kilo Öl. Für Kleinkinder unter einem Jahr gibt es eine Art Milchpulver. Fleisch, Obst und Gemüse enthält der Essenskorb nicht.

Wir besuchten eine Lebensmittel-Verteilungsstätte in der Nowab-al-Thubat-Straße 21. Schwarz gekleidete Frauen drängelten sich vor einem winzigen dunklen Krämerladen. Die 40-jährige Zarah, die einen Dreifamilienhaushalt mit 17 Personen zu versorgen hat, transportierte in einem uralten Eisenkarren gerade schnaufend ihre Monatsration ab. Ihr Haushalt hat ein monatliches Einkommen von 50 000 Dinar, das sind 25 Dollar. Sie klagte, die Lebensmittel reichten nur bis zum 20. Tag. Manchmal müsse sie einen Teil davon wieder verkaufen, um Medikamente oder Kleidung zu erwerben. Außerdem sei der Warenkorb qualitativ völlig unzureichend. Es fehlten Vitamine und Proteine. Ihre Kinder seien ständig krank.

Die 27-jährige Muntha, die nach ihr an der Reihe war, hat vier Kinder zwischen ein und neun Jahren. Ihr Mann ist Gelegenheitsarbeiter. In manchen Monaten verdient er stolze 20 Dollar, allerdings nur drei- bis viermal im Jahr. Auch sie klagte, dass das Essen nicht bis zum Monatsende reichte. Ihr mache das nicht mehr viel aus. Aber sie sei traurig, wenn sie ihre Kinder hungrig ins Bett schicken müsse.

So wie Zarah und Muntha muss sich das gesamte irakische Volk einmal im Monat demütig zur Nahrungsmittelausgabe anstellen. Die Chefärztin des Krankenhauses Ibn el Baladi genauso wie die Lehrer der Schulen von Saddam-City. Die Irakis, einst eines der stolzesten und dynamischsten Völker des Nahen Ostens, sind durch die Sanktionen zu Almosenempfängern degradiert worden.

Nicht nur die 60 bis 75 Prozent Arbeitslosen, sondern auch die beim Staat angestellten Ärzte, Ingenieure, Wissenschaftler, Lehrer und Beamten sind dringend auf die monatlichen Lebensmittelrationen des Staates angewiesen. Der irakische Mittelstand ist total verarmt. Sein durchschnittliches Monatseinkommen liegt heute zwischen fünf und zehn Dollar. Der staatliche Ingenieur Omar, der uns einen Tag begleitete, verdiente 1990 vor Verhängung der Sanktionen noch einen Gegenwert von 200 Kilo Fleisch pro Monat. Jetzt könnte er sich mit seinem Gehalt von acht Dollar gerade noch fünf Kilo Fleisch kaufen.

Die 48-jährige Rektorenwitwe Muntaha, die wir in ihrem verfallenen Haus besuchten und die elf minderjährige Kinder durchfüttern muss, erhält eine monatliche Pension von vier Dollar. Das reicht für ganze 12 Kilo Tomaten. Also handelt sie auf der Straße mit Zigaretten und Süßigkeiten, die ihr weitere viereinhalb Dollar pro Monat einbringen. Da auch das noch zu wenig ist, geht sie, immer wenn der Hunger kommt, freitags wie viele Professoren, Ärzte und Ingenieure zur Al-Rasheed-Street und bietet ihren Hausrat an. Ihre Schlafzimmermöbel, ihren Heizofen, ihre Teppiche hat sie längst verkauft.

Am meisten leiden die irakischen Kinder. Hans Graf Sponeck, von 2000 bis 2001 UN-Koordinator des Öl-für-Nahrungsmittel-Programms, schätzt die Zahl der Kleinkinder, die an den Folgen der Sanktionen seit 1991 gestorben sind, auf durchschnittlich 5000 pro Monat. Weit über eine halbe Million Kinder unter fünf Jahren sind an den Folgen der Sanktionen gestorben. Sponeck ist deshalb ebenso wie sein Vorgänger, der Ire Dennis Halliday, aus Protest von seinem Amt als UN-Koordinator zurückgetreten. Für den Sohn des 1944 von Himmler wegen Befehlsverweigerung hingerichteten Generals von Sponeck sind die UN-Sanktionen, die nicht die Täter, sondern die Opfer bestrafen, „die größte organisierte Ungerechtigkeit unserer Zeit". Der Vatikan nennt die Sanktionen „pervers".

Niemand darf die rigiden Polizeistaatmethoden Saddams verharmlosen, die die Rechte der Menschen im Irak in eklatanter Weise verletzen. Aber die von den USA erzwungenen Sanktionen verletzen die Menschenrechte der irakischen Bevölkerung noch mehr. Sie sind längst zu Massenvernichtungswaffen gegen ein ganzes Volk geworden. Sie haben mehr Menschen getötet als alle chemischen Waffen, die der gnadenlose Despot Saddam Hussein jemals gegen den Iran und gegen die Kurden eingesetzt hat.

Der Irak ist durch die Sanktionen wirtschaftlich und kulturell um 50 Jahre zurückgeworfen worden. 1990 lag das Land noch auf Platz drei von 16 Ländern des offiziellen Entwicklungsindexes für Nordafrika und den Nahen Osten, weit vor Saudi-Arabien. Im Jahr 2000 war der Irak bereits auf Platz dreizehn zurückgefallen und lag nur noch knapp vor den bettelarmen Schlusslichtern Sudan und Jemen. Die Sanktionen haben aus einem der aufstrebendsten Länder der Region einen der elendesten Plätze der Welt gemacht.

Aber auch politisch sind die Sanktionen ein Desaster. Denn sie haben Saddams Position in der Bevölkerung nicht geschwächt, sondern vor allem in den ärmeren Bevölkerungsschichten gestärkt.

Am vorletzten Tag unseres Irak-Besuchs fuhren wir nach Khanakeen in die Provinz Dijha. Khanakeen liegt 180 km von Bagdad entfernt nahe der Grenze zum Iran. Während des Krieges mit dem Iran hatten dort die schrecklichsten Kämpfe stattgefunden. Wir besichtigten ein Trinkwasserprojekt von Care.

Die Leiterin des Projekts, die Engländerin Margaret Hassan, war voller Bitterkeit gegenüber der Sanktionspolitik des Westens. Um sauberes Wasser herzustellen, brauchte Care Plastikrohre. Die Bestellung eines Plastikrohrs über das Sanktionskomitee dauerte jedoch Monate. In dieser Zeit ging das Sterben der Kinder weiter.

Fünfmal hatte Margaret Hassan ihre Bestellung aufgegeben, zwei Sonderprüfungen hatte sie über sich ergehen lassen müssen. Immer wieder hatte das Sanktionskomitee die Lieferung der Plastikrohre mit dem Argument angehalten, der Irak könnte die Plastikrohre zum Bau von Waffen verwenden. Immer wieder hatte Frau Hassan zum Telefon greifen müssen, bis das Sanktionskomitee endlich grünes Licht gab.

Wir besuchten ein benachbartes Krankenhaus. In einem winzigen Zimmer waren fünf Menschen in primitivsten Betten untergebracht. Der Putz fiel von der Decke. Die zerborstenen Fensterscheiben waren mit Stoff verhängt. In Deutschland dürfte man in derartigen Räumen nicht einmal Vieh unterbringen.

Die Not in den ländlichen Gebieten des Irak ist noch größer als in Bagdad. Kleinkinder, die hier ernsthaft krank werden, haben keine Überlebenschance. Aber diese Schande interessiert im Westen kaum jemanden. Wer weint schon um Abdul und Tanaya?

XXVIII.

Frédéric war im Laufe der Woche immer stiller geworden. Das Wort „platt machen" war ihm kein einziges Mal mehr über die Lippen gekommen. Abends, wenn ich mich schlafen gelegt hatte, ging er meist noch runter in die Ladenpassagen des Rashid-Hotels, um sich mit seinen neuen Freunden zu treffen.

Die kleinen Geschäfte waren nicht nur abends meist leer, Touristen gab es schon lange nicht mehr. Er setzte sich in einen der Läden und diskutierte mit den Inhabern, ihren Kindern und mit jungen Studenten, mit denen er sich tagsüber verabredet hatte. Aus der nahe gelegenen Piano-Bar klang leise Musik herüber. Frank Sinatras „New York, New York" schien das Lieblingslied des Pianisten zu sein. Frédéric konnte es am Ende unserer Reise auswendig.

Frédéric hatte offenbar seine Meinung über den Irak geändert. Mit Saddam Hussein wollte er zwar noch immer nichts zu tun haben, aber die Irakis liebte er. Ihn beeindruckten vor allem die große Herzlichkeit, die sie ihm trotz ihrer Not und Hoffnungslosigkeit entgegenbrachten, und ihre Deutschfreundlichkeit. Die Irakis fragten ihm Löcher in den Bauch über das Leben in Deutschland, über den deutschen Fußball, über alles, was mit Deutschland auch nur entfernt zu tun hatte. Frédéric musste erzählen und erzählen. Für die jungen Irakis waren das Berichte aus einer traumhaften, fernen Welt, die ihnen seit elf Jahren verschlossen war.

Am letzten Tag unserer Irakreise fuhren wir in die Ruinenstadt Babylon, eine der Wiegen unserer Zivilisation, die rund 80 Kilometer südlich von Bagdad an den Ufern des Euphrat liegt. Am Ende der Besichtigung standen wir in

Babylon an jener Stelle, an der Alexander der Große im Juni des Jahres 323 v. Chr. gestorben war. Im Sterben hatte Alexander der Überlieferung nach seine Arme ausgebreitet, seinen Generälen seine Hände gezeigt und gesagt: „Ich habe die ganze Welt beherrscht, aber ich verlasse sie mit leeren Händen."

Alexander wusste: Was nicht gerecht geregelt war, würde keinen Bestand haben. Vielleicht sollte George W. Bush manchmal an diese letzte Erkenntnis Alexanders des Großen denken. Mit Härte allein lässt sich kein dauerhafter Ruhm begründen.

XXIX.

Nach meiner Rückkehr aus Bagdad versuchte ich durch Interviews und Artikel, auf die Tragödie der Kinder im Irak hinzuweisen. Aber das Echo war gering. Das Irak-Thema war genauso wie das Afghanistan-Thema ein Außenseiterthema, das niemanden wirklich interessierte. Die Positionen waren festgefügt: Es entsprach dem Mainstream, ohne Wenn und Aber gegen den Irak, das Reich des Bösen, zu sein. Das Schicksal der Menschen im Irak kam bei dieser „öffentlichen Meinung" kaum vor.

Wenn jemand im Irak die Menschenrechte verletzte, dann war das Saddam Hussein, aber nicht der Westen. Massenmord an Kindern durch unmenschliche Sanktionen des Westens? Undenkbar! Diese Behauptung musste entweder ein Märchen sein, oder wenn das Massensterben der Kinder wahr war, dann war es von Saddam Hussein bewusst inszeniert, um den Westen, das „Reich des Guten", in ein schlechtes Licht zu stellen.

Kaum jemand interessierte sich für das Martyrium des irakischen Volkes. Kaum einer hatte wahrgenommen, dass mit Graf Sponeck und seinem Vorgänger, dem Iren Dennis Halliday, bereits zwei Leiter des Öl-für-Nahrungsmittel-Programms aus Protest gegen die gnadenlosen Sanktionen zurückgetreten waren. Die Rollen der good guys und der bad guys waren so klar aufgeteilt, dass sie keine nachdenklichen Fragen zuließen. Wir waren das „Reich des Guten", der Irak war das „Reich des Bösen".

Als meine jüngste Tochter Nathalie fünf Jahre alt war, hatte sie mich, wenn wir uns einen Kinderfilm ansahen, stets gefragt: „Papa, wer sind die Guten und wer die Bösen?" Selbst als ich sie zum ersten Mal zu einem Fußballspiel ins Münchner Olympiastadion mitnahm, wollte sie unbedingt wissen, wer die Guten und wer die Bösen seien. Die Antwort fiel mir da schon etwas schwerer. Ich sagte ihr, eigentlich seien die Roten, die Bayern, die Guten und die Blauen, die Sechziger, die nicht ganz so Guten. Und so feuerte Nathalie begeistert die roten Bayern an.

Heute, zehn Jahre später haben meine Kinder bemerkt, dass die Welt zu kompliziert ist, um sie einfach in gut und böse zu unterteilen. Natürlich wissen sie, dass es das Böse gibt. Die Führung des Nationalsozialismus und des sowjetischen Kommunismus waren uneingeschränkt „böse". Millionen unschuldiger Menschen hatten diese Bosheit mit dem Leben bezahlt. Auch Saddam Hussein und der Upper-Class-Terrorist Bin Laden sind in diesem Sinne „böse".

Aber ist deshalb der Irak ein „Reich des Bösen"? Sind alle tiefgläubigen islamischen Menschen, die wir „Fundamentalisten" nennen, böse? Sind wir wirklich die „Guten", wenn wir durch Bomben auf afghanische und irakische Städte Tausende unschuldiger Zivilpersonen töten? Sollte nicht jeder, der die Welt verbessern und vom Bösen befreien will, erst einmal bei sich selbst anfangen?

Die simple Unterteilung der Welt in gut und böse lebt von der Unkenntnis der Welt. Dass Saddam Hussein seinerseits die USA als „Reich des Satans" diffamiert, zeigt, wie absurd derartige Simplifikationen sind. Baltasar Gracián sagte schon im 17. Jahrhundert: „Die eine Hälfte der Welt lacht über die andere. Nur Dummköpfe versuchen, die Welt ausschließlich nach ihren Begriffen zu ordnen."

Nicht nur für Frédéric, auch für mich war es eine der größten Überraschungen unseres Lebens, als wir im Irak auf eines der warmherzigsten Völker trafen. Überall wurden wir mit einer Liebenswürdigkeit empfangen, die uns beschämte. Ich wage die These, dass George W. Bush und einige seiner Berater nicht so locker über einen Krieg gegen das irakische „Reich des Bösen" reden würden, wenn sie einmal eine Woche im Irak verbracht hätten.

Aber George W. Bush war noch nie im Irak. Er hat noch nie ein irakisches Krankenhaus, noch nie irakische Kleinkinder gesehen, die sterben müssen, weil wir im Kampf gegen das Böse so „prinzipienfest", so „gut" sind. Was sind schon 500 000 irakische Kleinkinder, wenn es gilt, „dem Guten" auf der Welt zum Durchbruch zu verhelfen?

XXX.

Anfang Oktober 2002 lud ich Patrick nach München ein. Ich wollte mit ihm eine kleine Hilfsaktion für sein Straßenkinderheim besprechen. Meine Freunde bereiteten Patrick zwei wunderschöne Tage. Sie gingen gemeinsam mit ihm bei strahlendem Sonnenschein aufs Oktoberfest, aßen in einer wunderschönen Landgaststätte am Maisinger See zu Mittag und zeigten ihm die Sehenswürdigkeiten Münchens und seiner herrlichen Umgebung.

Trotzdem war Patrick sehr deprimiert. Er berichtete von der Hoffnungslosigkeit, vom Fatalismus der Menschen im Irak, die alle mit einem Krieg rechneten. Und er erzählte, wie schwer es war, seinen jungen irakischen Freunden zu erklären, dass dieser Krieg angeblich einer guten Sache diente.

Aber auch von den irakischen Behörden war er enttäuscht. Seit Wochen war zahlreichen ausländischen Hilfsorganisationen, die mit dem irakischen Arbeits- und Sozialministerium zusammenarbeiteten, der Zugang zu ihren Projekten versperrt. Patrick konnte seine Kinder in Dar al Rahma seither nicht mehr besuchen.

Dabei hatte er eine große Überraschung für sie. Michael Jackson, den ich von einem gemeinsamen Kurzurlaub in Sulden, in Südtirol, kannte und der selbst eine Hilfsorganisation für Straßenkinder gegründet hatte, hatte für die Heimkinder von Dar al Rahma einige CDs und Bücher signiert. Die Kinder hatten mir erzählt, dass er neben Robbie Williams ihr größtes Idol sei. Ich hatte Michael allerdings fest versprechen müssen, dass beides nur in die Hände der Heimkinder und nicht in die Hände der irakischen Behörden gelangen würde.

Patrick wollte die CDs und die Bücher Michael Jacksons persönlich überbringen und erläutern. Die Kinder würden sonst nie glauben, dass ihnen die Poplegende Michael Jackson etwas schenken könnte – ausgerechnet ihnen, denen seit Jahren niemand etwas schenkte. Aber die irakischen Behörden hatten Patrick nicht ins Heim gelassen.

Ich brachte Patrick mit Freunden zusammen, die mithelfen wollten, das Leben der Kinder in Dar al Rahma etwas erträglicher zu gestalten. Wir wollten ihnen gerade jetzt ein Zeichen geben, dass draußen jemand an sie dachte. Wir vereinbarten, mehrere Fernsehgeräte, Video- und Stereoanlagen, Fußbälle mit den Unterschriften der deutschen Fußballnationalmannschaft, unzählige CDs und ganz viele Spiele über UNICEF nach Bagdad zu senden.

Ich versprach, die Kinder von Dar al Rahma bald wieder zu besuchen. Vielleicht schon Anfang Januar 2003. Überglücklich verabschiedete sich Patrick. Für ihn war der Besuch in München wie Weihnachten.

XXXI.

Ich habe mir im Herbst 2002 immer wieder überlegt, was ich tun könne, um mitzuhelfen, diesen irrsinnigen Krieg zu verhindern. Natürlich konnte ich weiter Artikel schreiben. Aber die öffentliche Meinung in Deutschland musste man inzwischen nicht mehr umstimmen. Die hatte sich während des Wahlkampfes überraschend gedreht, als sich die großen Parteien – aus welchen Gründen auch immer – gegen einen amerikanischen Angriffskrieg gegen den Irak ausgesprochen hatten, auch wenn das Nein der Bundesregierung nach der Bundestagswahl nicht mehr ganz so forsch klang wie zuvor.

Die Kritik der deutschen Regierung an den Kriegsplänen George W. Bushs war umso überraschender, als Außenminister Fischer noch im Jahr zuvor schwere amerikanische Luftschläge gegen den Irak mit den Worten kommentiert hatte, das sei eine „Aktion unseres Verbündeten, die er nicht zu kritisieren habe". Aus einer Minderheitsmeinung war durch den Wahlkampf fast über Nacht zumindest in Deutschland eine Mehrheitsmeinung geworden. Aber würde das die Supermacht USA davon abhalten, den Irak anzugreifen?

Natürlich war es wichtig, die europäische Forderung nach einer politischen Lösung des Irakproblems so unüberhörbar zu machen, dass die USA sie nicht einfach beiseite schieben konnten. Aber die letzte Entscheidung lag in Washington und nirgendwo anders.

Ich beschloss daher, Richard Perle, der zu den Hauptbefürwortern eines baldigen Krieges gehörte, einen Brief zu schreiben. Ich kannte Perle aus der Zeit der „Nachrüstungsdebatte". Wir hatten uns damals häufig getroffen, waren zusammen essen gegangen, hatten miteinander telefoniert. Perle weiß, dass ich kein Pazifist und kein Träumer bin, und dass ich sein Land liebe. Vielleicht würde ihn das eine oder andere Argument wenigstens nachdenklich machen. Also schickte ich ihm im Herbst 2002 folgenden Brief:

„Lieber Richard,
ich erinnere mich noch gerne an unsere zahlreichen Gespräche und Treffen in den achtziger Jahren, als es in Deutschland um die Aufstellung der Pershing-II-Raketen ging. Wir hatten damals ein gemeinsames Ziel. Wir wollten mit der Umsetzung des von Helmut Schmidt initiierten Nato-Doppelbeschlusses der Sowjetunion deutlich machen, dass sich der Aufbau der gegen Westeuropa gerichteten SS-20-Raketen politisch und militärisch nicht lohnte. Wir wollten sicherstellen, dass Westeuropa frei blieb von Druck, Drohung und Erpressung, und dass ein konventioneller Krieg der Sowjetunion gegen Westeuropa unführbar blieb. Unser oberstes Ziel war, den Frieden in Europa zu erhalten. Das war die Grundlage aller unserer Gespräche.

Sie waren in jenen Jahren Staatssekretär im amerikanischen Verteidigungsministerium, ich war rüstungskontrollpolitischer Sprecher der CDU/CSU-Bundestagsfraktion. Der *Spiegel* nannte Sie damals wegen Ihres großen Einflusses auf Präsident Ronald Reagan ‚The prince of darkness‘. Als ich Ihnen das erzählte, sagten Sie lachend, Ihnen sei egal, wie man Sie nenne, wenn Sie auch nur einen kleinen Beitrag zur Erhaltung des Friedens in Europa leisten könnten. Mir hat diese Argumentation sehr gefallen. Sie sehen, ich habe mir auch Einzelheiten unserer zahlreichen freundschaftlichen Gespräche gemerkt.

Laut Presseberichten scheint der 11. September Ihre Position in dieser Frage verändert zu haben. Ich kann das Entsetzen jedes amerikanischen Politikers über die feigen Terroranschläge gegen Ihr Land gut nachvollziehen. Ich kann nachempfinden, was in den Herzen von Millionen amerikanischer Familien vorging, die in den Stunden nach dem Anschlag nach ihren Freunden und Angehörigen suchten. Ich verstehe das Leid und den Schmerz der Menschen, die an jenem Tag ihre Angehörigen verloren.

Aber darf der berechtigte Zorn, die Wut, die Verzweiflung unser politisches, unser strategisches Handeln bestimmen? Müssen wir nicht gerade in derart dramatischen Situationen versuchen, die Probleme mit kühlem Kopf und klarem Verstand zu lösen? Ein chinesisches Sprichwort sagt: ‚In einem Augenblick der Wut und Rache kann man mehr zerstören, als man in einem ganzen Leben wieder aufbauen kann.'

Ich teile Ihre Einschätzung, dass der internationale Terrorismus und die Existenz von Massenvernichtungswaffen in den Händen verantwortungsloser Politiker die größte sicherheitspolitische Herausforderung unseres Jahrhunderts sind. Aber ist die Bombardierung von Städten und Dörfern, in denen vor allem Zivilpersonen und Familien leben, die richtige Lösung? In Afghanistan sind bei den Angriffen der Antiterrorallianz nach seriösen Schätzungen fast doppelt so viel Zivilpersonen getötet worden wie im World Trade Center. Das ist nicht, wie manche argumentieren, ungewollt oder fahrlässig geschehen, das ist bewusst in Kauf genommen worden.

Waren diese afghanischen Männer, Frauen und Kinder, von denen die meisten gar nichts von den Terroranschlägen gegen die USA wussten, nicht genauso unschuldig wie die Menschen im World Trade Center? Waren sie nicht genauso schutzwürdig wie amerikanische Zivilpersonen? Ist nicht allein wegen der getöteten afghanischen Zivilpersonen der Krieg gegen Afghanistan letztlich eine Niederlage – ganz zu schweigen von der Tatsache, dass Bin Laden, dem dieser Krieg galt, bisher entkommen ist?

Ich kenne Afghanistan recht gut. Ich weiß, die USA mussten auf die Anschläge vom 11. September reagieren, und sie mussten hart reagieren – aber mit Angriffen auf die Al-Qaida-Camps in den Bergen des Hindukusch, nicht mit Angriffen auf Städte und Dörfer, in denen Menschen lebten und leben, die in den achtzigerJahren mitgeholfen hatten, den sowjetischen Kommunismus zu überwinden.

Und gibt es wirklich keine andere Lösung, das Problem Saddam Hussein zu lösen, als einen Krieg, in dem wiederum Tausende unschuldiger Zivilpersonen sterben werden? Sie haben Recht, wenn Sie auf die Gefahren von Massenvernichtungswaffen in den Händen Saddam Husseins hinweisen. Ich gehe noch weiter: Sie haben Recht, wenn Sie nach legalen Wegen suchen, diese Regierung zu beseitigen, die ihr eigenes Volk knechtet, die Opposition unterdrückt und gegen ihre kurdischen Mitbürger sogar Giftgas eingesetzt hat.

Aber müssen deshalb wieder irakische Städte und Dörfer bombardiert werden, irakische Zivilpersonen im Bombenhagel westlicher Hightech-Flugzeuge sterben? Müssen wir das Risiko eines Flächenbrandes eingehen, der nicht nur den Nahen Osten, sondern auch die gesamte westliche Welt in ein Chaos stürzen könnte?

Ihr Land hat die viel schwierigere Auseinandersetzung mit der Sowjetunion gewonnen, die von einem noch gefährlicheren und unvergleichlich mächtigeren Unrechtsregime geführt wurde, weil die USA nicht nur für militärische Stärke standen, sondern auch für Fairness und Gerechtigkeit. Wäre diese Mischung aus Härte und Gerechtigkeit nicht auch die richtige Strategie gegenüber dem Irak?

Natürlich wäre die Situation anders, wenn Saddam Hussein kurz vor einem Angriff auf die USA stünde. Aber das würde voraussetzen, dass Saddam Hussein ein Selbstmörder wäre. Sie wissen, dass er genau das nicht ist. An nichts ist dieser gnadenlose Diktator mehr interessiert als an seinem eigenen physischen und politischen Überleben. Die Behauptung, er plane einen Überfall auf die USA, gehört zum Unsinnigsten und Unlogischsten, was ich in der Irak-Debatte bisher gehört habe.

Ich war an Ostern zusammen mit meinem 18-jährigen Sohn eine Woche lang privat in Bagdad. Ich habe dort keine Gespräche mit der irakischen Regierung geführt, sondern mit Organisationen wie UNICEF, UNDP und Care sowie mit ganz normalen Bürgern Bagdads. Dieses Land ist wirtschaftlich ausgelaugt, moralisch kaputt und militärisch nicht mit dem vor Kraft strotzenden Irak der achtziger Jahre zu vergleichen.

Die USA könnten mit einem klugen politischen Vorgehen bei der irakischen Regierung fast alles erreichen – Waffeninspektionen, eine effektivere Rüstungskontrolle, Gewaltverzichtsverträge mit den Nachbarn, Frieden mit Israel, eine Sicherung der Erdölversorgung sowie eine wirksame Beteiligung am Kampf der USA gegen den internationalen Terrorismus.

Glauben Sie nicht, dass es sich lohnen würde, diese Möglichkeiten ernsthaft auszuloten, so wie Sie und Ihre Regierung es damals beim Nato-Doppelbeschluss getan haben? Muss man notfalls nicht auch mit dem Teufel verhandeln, wenn man dadurch einen gerechten Frieden erreichen kann? Hat Ihr großer Freund Ronald Reagan das nicht auch getan?

Ihre Regierung und Sie ganz persönlich haben damals mit dieser Strategie einen entscheidenden Beitrag zur Lösung des Ost-West-Konflikts geleistet. Ich bin sicher, dass wir mit derselben Kombination aus Härte, Gerechtigkeit und politischer Klugheit auch die Irak-Krise lösen könnten.

Ich befürchte, dass Sie mit einem Angriff auf den Irak Ihre legitimen Ziele nicht erreichen werden. Darf ich Ihnen das als Freund Amerikas und als alter Weggefährte in aller Offenheit sagen? Ich liebe Ihr wunderbares Land, und genau deshalb macht mir die augenblickliche Situation so große Sorgen.

Ich grüße Sie sehr herzlich und freue mich auf Ihre Antwort

Ihr
Jürgen Todenhöfer"

München, 24.9.2002

Einige Wochen später hatten Richard Perle und ich ein langes Telefonat. Ich fragte ihn noch einmal, warum die USA nicht versuchten, das Irak-Problem in bilateralen Verhandlungen mit den Machthabern von Bagdad zu lösen. Die Chancen für vernünftige Vereinbarungen mit Saddam Hussein seien günstiger als jemals zuvor. Eine Verhandlungslösung würde unzählige amerikanische und irakische Menschenleben retten und den internationalen Terrorismus nicht weiter anheizen.

Richard Perles Haltung blieb unbeugsam, seine Position unmissverständlich. Mit Saddam Hussein könne und werde man nicht verhandeln: „There is zero chance to change this policy. It is too late." Die USA hätten klare Beweise für Saddam Husseins chemische und biologische Waffen und für seine Unterstützung des internationalen Terrorismus.

Es war ein faires und freundliches Gespräch, fast wie früher. Nur dass wir dieses Mal fundamental unterschiedliche Standpunkte vertraten.

XXXII.

Seit dem Sommer 2002 gab es kaum noch jemanden, der daran zweifelte, dass es Bush längst nicht mehr um den Aufbau einer sinnvollen Drohkulisse gegen Saddam Hussein ging, sondern dass er Krieg wollte und dass er ihn auch führen würde.

Je verhandlungsbereiter und nachgiebiger Saddam Hussein auftrat, desto wütender und heftiger wurden die Angriffe der amerikanischen Führung auf den Spielverderber vom Tigris. Saddam Hussein hatte verdammt noch mal die Rolle des „bad guy" zu spielen, die ihm George W. Bush zugedacht hatte! Mit einem konzilianten Saddam konnte die Bush-Mannschaft nichts anfangen. Er brachte ihre Dramaturgie kräftig durcheinander.

Als Saddam dann auch noch im September 2002 – Wochen vor der neuen Resolution des Sicherheitsrats – zur Überraschung der meisten internationalen Beobachter seine Zustimmung zu uneingeschränkten Waffeninspektionen signalisierte, kannte die Empörung der amerikanischen Falken keine Grenzen mehr. Ein „Nein" zu Waffeninspektionen hätte alles so viel einfacher gemacht. Bush nannte das Angebot Bagdads sichtlich verärgert einen „Trick", und Rumsfeld schob im amerikanischen Kongress nach, „Inspektionen seien ein Ablenkungsmanöver und kaum geeignet, dem Ziel der Abrüstung des Irak näher zu kommen".

Klarer konnte die US-Administration nicht demonstrieren, dass ihr Säbelrasseln in den Monaten zuvor nicht dem Aufbau einer „klugen Drohkulisse" zur Erzwingung uneingeschränkter Inspektionen dienen sollte, wie Bush-Apologeten in geradezu rührender Weise immer wieder behaupteten. Die Falken waren keine listigen Tauben. Sie waren

Falken, sie wollten Krieg, und sie fürchteten, dass Inspektionen diesen Krieg verhindern oder zumindest verzögern könnten.

Historiker sagen, den festen Willen zum Krieg könne man daran erkennen, dass die Zahl der Tatarenmeldungen über den Gegner sprunghaft zunimmt. Das war schon 1991 kurz vor dem ersten Golfkrieg so. Damals behauptete George Bush sen. im Brustton der Überzeugung, Saddam Hussein plane, Israel mit Atomraketen anzugreifen, die dieser gar nicht besaß. Eine ähnliche Propagandaoffensive ergoss sich im Sommer 2002 über die gesamte Welt.

Jeden Tag erschienen neue Schreckensberichte über angeblich zweifelsfrei identifizierte B- und C-Waffenlager im Irak, fast stündlich wurde in allen Details über irakische Atomwaffenvorräte, über Langstreckenraketen Saddams und über dessen Verbindungen zum internationalen Terrorismus berichtet. Richard Perle berichtete laut – und dementiert leise – einen Besuch des Flugzeugattentäters Atta bei Saddam Hussein und eine angebliche frühere Geliebte Saddam Husseins fabulierte laut *BILD* sogar über einen persönlichen Besuch Bin Ladens bei dem irakischen Diktator.

Jeder hat ein Recht auf eigene Meinung. Aber niemand hat ein Recht auf eigene Fakten. Die UN-Waffeninspekteure, die Spezialisten der Internationalen Atomenergiebehörde in Wien und die führenden westlichen Geheimdienste rieben sich angesichts dieses Alarmismus erstaunt die Augen und wiesen nüchtern darauf hin, dass derartige Erkenntnisse gar nicht vorlagen. Für sie war all das Gossip. Aber Experten, Sachargumente und Fakten hatten in dieser Schlacht der Lügen kaum eine Chance.

Hinzu kam, dass verständlicherweise niemand den Tyrannen vom Tigris verteidigen wollte, der Kuwait rücksichtslos überfallen hatte, sein Volk unterdrückte, die Opposition gnadenlos verfolgte und nachweislich schon einmal chemische Waffen gegen den Iran und gegen die Kurden eingesetzt hatte. Außerdem musste jeder, der die amerikanische Politik zu kritisieren wagte, damit rechnen, dass mit der Keule des Antiamerikanismus auf ihn eingeschlagen wurde.

Amerika ist unser wichtigster Freund und Partner. Aber heißt das, dass wir jedem Irrtum, jeder Torheit der amerikanischen Außenpolitik zustimmen müssen? Zeichnen sich wirkliche Freunde nicht gerade dadurch aus, dass sie, wenn nötig, auch einmal kräftig widersprechen?

Ist antiamerikanisch, wer an die Ideale des amerikanischen Rechtsstaats glaubt, oder wer wie George Bush fundamentale nationale und internationale Rechtsgrundsätze in Frage stellt? Muss man, wenn man Amerika liebt, jeden seiner Präsidenten und jeden seiner Kriege lieben?

Der frühere amerikanische Präsident und Friedensnobelpreisträger des Jahres 2002 Jimmy Carter hatte leider Recht, als er in der *Washington Post* unter der Überschrift „Das verstörende neue Gesicht Amerikas" anprangerte,

- dass amerikanische Staatsbürger ohne Anklage und ohne Anwalt als „feindliche Kombattanten eingekerkert" würden,
- dass die amerikanische Regierung sich gegenüber den gefangenen Taliban in Guantanamo ähnlich verhalte „wie Unrechtsregime, die frühere Präsidenten stets verurteilt hätten",
- dass die amerikanische Regierung einen Angriff gegen den Irak fordere, obwohl „den USA von Bagdad zur Zeit gar keine Gefahr drohe" und
- dass sie Abkommen über Atomwaffen, biologische Waffen, Umweltschutz und Folterschutz entgegen aller Traditionen der amerikanischen Außenpolitik schroff ablehne und die USA dadurch „zunehmend isoliere".

Edward Kennedy und Al Gore haben sich ähnlich kritisch geäußert. Nicht die Kritik an Bushs Kriegspolitik ist antiamerikanisch. Unamerikanisch, antiamerikanisch ist die Politik Bushs. Sie widerspricht fundamental den Idealen der amerikanischen Verfassung von Freiheit, Gleichheit und Menschenwürde. Antibushismus ist nicht gleich Antiamerikanismus.

XXXIII.

Was sind die Motive dieser martialischen Politik?

Ein nachvollziehbares Motiv für einen Angriffskrieg könnte die behauptete konspirative Verbindung Saddams zu al Qaida sein, über die sich George W. Bush immer wieder in dunklen Andeutungen ergeht. Aber hierzu gibt es keine verlässlichen Erkenntnisse. Führende amerikanische Politiker wie Al Gore, Militärs wie der Nato-Generalsekretär Robertson sowie Geheimdienstspezialisten wie der Chef des Bundesnachrichtendienstes Hanning haben immer wieder darauf hingewiesen, dass über eine Zusammenarbeit von Saddam Hussein mit al Qaida nichts bekannt ist.

Kleinere versprengte fundamentalistische Gruppen, wie die Gruppe Ansar al-Islam, die mit al Qaida wahrscheinlich in Verbindung steht, treiben sich lediglich im kurdischen Norden des Irak herum. Sie schlagen sich dort mit den Peschmerga-Kriegern Barzanis und Talabanis herum. Der Norden des Irak aber wird seit dem Golfkrieg 1991 nicht mehr von Saddam Hussein beherrscht, sondern von den Kurden und steht unter dem Schutz der amerikanischen und britischen Luftwaffe.

Zutreffend ist, dass Saddam Hussein die Familien palästinensischer Selbstmordattentäter unterstützt. Aber das tun andere arabische Staaten, wie Saudi-Arabien, leider auch. Das ist unverantwortlich, aber mit der Unterstützung des internationalen Terrorismus hat es zumindest in den Augen arabischer Menschen nichts zu tun.

Warum sollte ausgerechnet Saddam Hussein, der seit 20 Jahren jede fundamentalistische Strömung im Irak brutal schon im Keim erstickt und selbst gemäßigten Imamen jede politische Meinungsäußerung verbietet, seinen Todfeinden Massenvernichtungswaffen zur Verfügung stellen, mit denen sie auch ihn von der Macht bomben könnten? Auf einer seiner letzten Videokassetten bezeichnet Bin Laden den irakischen Diktator, der als einziger arabischer Regierungschef mit Tarek Hannah Aziz einen Christen als Stellvertreter hat, dementsprechend voller Verachtung als „schlechten Moslem".

Für Kenner der arabischen Welt ist das keine Überraschung. Ein hoher UN-Diplomat hatte mir bei meinem Besuch in Bagdad kopfschüttelnd erklärt: „Eher bekommt ein Maultier Junge, als dass Saddam Hussein fundamentalistische Terroristen unterstützt." Saddam kann man viel vorwerfen, aber ein Treibhaus für Terroristen ist der Irak nicht.

Vielleicht gab es trotzdem in der Vergangenheit irgendwann, irgendwo, irgendwie Kontakte zwischen dem Irak und Mitgliedern von al Qaida. Möglicherweise haben aus Afghanistan geflohene Al-Qaida-Kämpfer versucht, im Irak Unterschlupf zu finden. Aber derartige Kontakte gab es vermutlich zu den meisten arabischen Ländern.

Warum richten die USA ihre antiterroristischen Suchscheinwerfer ausgerechnet auf den Irak und nicht auf Länder, die erwiesenermaßen enge Kontakte zu al Qaida hatten und haben? Hatten nicht private Geldgeber aus Saudi-Arabien und den arabischen Emiraten Bin Laden teils mit freiwilligen Zahlungen, teils mit Schutzgeldzahlungen großzügig unterstützt? War nicht der amerikanische Geheimdienst CIA zusammen mit dem pakistanischen Geheimdienst ISI Ende der achtziger Jahre sogar Geburtshelfer und engster Verbündeter von al Qaida gewesen?

Und waren die USA nicht neben Deutschland jahrelang das beliebteste Ruheland der Al-Qaida-Terroristen? Vermuten nicht alle führenden westlichen Geheimdienste, dass sich in den USA auch heute noch mehrere Dutzend Al-Qaida-Top-Terroristen aufhalten, von den Tausenden Schläfern, die dort auf ihren Einsatz warten, ganz zu schweigen? Die USA waren und sind für Al-Qaida-Terroristen ein viel angenehmerer Aufenthaltsort als Saddams säkularistischer Polizeistaat.

Saddam Hussein hat muslimische Terroristen immer für seine Todfeinde gehalten. Er hat sie gnadenlos verfolgt und gejagt. Die Einzigen, die es schaffen könnten, ihn in die Arme von al Qaida zu treiben, sind wir selbst. Erst wenn Saddam Hussein keinen Ausweg mehr sieht, wenn er den Tod vor Augen hat, besteht die Gefahr, dass er sich mit seinen Todfeinden verbündet.

CIA-Direktor George J. Tenet hat am 9. Oktober 2002 in einem Schreiben an den Geheimdienstausschuss des Senats auf diese Gefahr ausdrücklich hingewiesen. Er erklärte zur großen Verärgerung der Bush-Mannschaft, dass die Wahrscheinlichkeit terroristischer Angriffe des Irak gegenüber den USA zur Zeit gering sei. Falls Saddam Hussein jedoch erkennen müsse, dass ein amerikanischer Angriff gegen den Irak unausweichlich sei, könne er zu der Entscheidung kommen, dass eine Unterstützung von Terroristen mit Massenvernichtungswaffen seine „letzte Chance sei, Rache zu nehmen und eine hohe Anzahl an Opfern mit in den Tod zu nehmen".

Das alles hindert den amerikanischen Vizepräsidenten Cheney nicht daran, sophistisch und demagogisch den Eindruck zu erwecken, Saddam arbeite seit langem eng und konspirativ mit al Qaida zusammen. Sein Lieblingssatz, es sei „keine größere Gefahr vorstellbar als Massenvernichtungswaffen in den Händen eines Terrornetzwerkes, eines mörderischen Diktators oder eines Diktators, der mit einem Terrornetzwerk zusammenarbeitet", ist ein rabulistisches Meisterwerk. Jeder wird diesem Satz zustimmen, und nur wenige werden erkennen, dass er überwiegend auf unzutreffenden Unterstellungen beruht.

Dasselbe gilt für die Äußerung George W. Bushs: „Eindämmung ist nicht möglich, wenn verrückte Diktatoren über Massenvernichtungswaffen verfügen, diese mit Raketen abschießen und heimlich terroristischen Verbündeten zur Verfügung stellen können." Auch dieser Meinung kann man kaum widersprechen. Nur stimmen auch hier die Fakten nicht: Der Irak hat unstreitig keine Langstreckenwaffen. Er arbeitet nicht mit al Qaida zusammen. Und ob er über Massenvernichtungswaffen verfügt, war zumindest zum Zeitpunkt dieser Aussage Bushs nicht zweifelsfrei geklärt.

XXXIV.

Ein weiteres Motiv für die Kriegspläne des amerikanischen Präsidenten könnte neben der Gefahr terroristischer Anschläge die Gefahr eines direkten militärischen Angriffs des Irak auf die USA sein, bei dem Saddam Hussein Massenvernichtungswaffen einsetzen könnte. Die USA weisen zu Recht immer wieder darauf hin, dass die Verbreitung von Massenvernichtungswaffen eines der schwierigsten Probleme der internationalen Politik ist.

Zwar besitzen sie selbst mehr nukleare und chemische Massenvernichtungswaffen als alle anderen Länder der Welt zusammen und lassen aus Angst vor Industriespionage im eigenen Land keine Bio-Waffen-Inspektionen zu. Trotzdem ist ihre Sorge vor derartigen Waffen in den Händen eines unberechenbaren Diktators berechtigt. Ihre Position wäre allerdings noch überzeugender, wenn sie durch eine drastische Reduzierung vor allem ihrer nuklearen Potentiale mit gutem Beispiel vorangehen würden.

Saddam Hussein hatte von 1980 bis 1988 im Krieg gegen den Iran Khomeinis, zu dem ihn die amerikanische Führung kräftig ermuntert hatte, gegen Ziele, die ihm amerikanische Spionagesatelliten geliefert hatten, chemische Waffen eingesetzt. Auch gegen die Kurden hatte er 1988 derartige Waffen eingesetzt. Daran gibt es nichts zu deuteln. Die Komponenten dieser chemischen Waffen waren ihm allerdings – mother of all ironies – von den USA, Deutschland und Großbritannien zur Verfügung gestellt worden.

Am 20. Dezember 1983 war Donald Rumsfeld höchstpersönlich bei Saddam Hussein gewesen, um diesem herzliche Grüße von Präsident Reagan zu überbringen. Die amerikanische Regierung hatte damals befürchtet, Khomeinis Truppen könnten den Irak überrennen und die reichen irakischen Ölfelder besetzen. Nach dem Besuch Rumsfelds war es zu umfangreichen amerikanischen Lieferungen an den Irak, den damaligen Außenposten der westlichen Welt, gekommen, von Hubschraubern bis zu Bakterienkulturen und Komponenten für chemische Waffen.

Der greise demokratische Senator Robert Byrd – in sicherheitspolitischen Fragen eher ein Falke – stellte Ende September 2002 die Dokumente über die seltsame Mission Rumsfelds und ihre Folgen in Washington vor und bemerkte bissig: „Wir ernten, was wir gesät haben."

Die USA haben dementsprechend weder im irakisch-iranischen Krieg noch im Krieg gegen die Kurden gegen den Einsatz chemischer Waffen durch Saddam Hussein protestiert. Sie haben im Gegenteil ein Jahr nach dem Giftgasangriff auf die Kurden ihre Hilfe für den Irak von 500 Millionen Dollar auf 1 Milliarde Dollar erhöht. Darf man heute so tun, als sei all das nicht geschehen?

1994 musste Saddam Hussein eingestehen, dass er noch immer über chemische und biologische Waffen verfügte. Das ist unstreitig. Unstreitig ist unter Experten jedoch auch, dass diese Bestände ebenso wie die weitreichenden Trägerraketen anschließend von den Vereinten Nationen zumindest weitgehend zerstört wurden. Der Chef des Waffeninspektionsteams UNSCOM, der Schwede Rolf Ekeus, und seine rechte Hand, der Amerikaner Scott Ritter, erklärten 1998, „95 Prozent der Arbeit sind getan, das Land ist wirksam entwaffnet".

Was nach 1998 geschah, als der Irak nach einer amerikanisch-britischen Militäraktion, die über 200 irakischen Zivilisten das Leben gekostet hatte, den UN-Inspektoren die Wiedereinreise verbot, entzieht sich der genauen Kenntnis der Weltöffentlichkeit. Bill Clintons Verteidigungsminister William Cohen erklärte allerdings noch am 13. Januar 2001 in seiner Abschiedspressekonferenz: „Saddam Husseins Streitkräfte befinden sich in einem Zustand, in dem er keine Gefahr mehr für seine Nachbarn darstellen kann."

Und noch vor einem Jahr meldete die CIA offiziell dem amerikanischen Kongress, es gebe keine Beweise für eine Wiederaufnahme des „Programms zum Bau von Massenvernichtungswaffen".

Selbst Cohens Nachfolger Donald Rumsfeld bestätigte im Herbst 2002, als er vor der zugegebenermaßen schwierigen Aufgabe stand, der amerikanischen Bevölkerung zu erklären, dass ein Krieg gegen den Irak trotz dessen Massenvernichtungswaffen leicht zu gewinnen sei: „Die generelle Bedrohung des Westens durch den irakischen Präsidenten Saddam ist in letzter Zeit nicht entscheidend gewachsen."

Und der Leiter des US Central Command Tommy Franks bekräftigte, die Streitkräfte Saddams besäßen „nur noch ein Drittel ihrer früheren Stärke", die Luftwaffe sei „ausgeschaltet". Selbst Richard Perle, „the prince of darkness", sprach von einem relativ leicht zu schlagenden Gegner, weil Bagdads Militär „viel schwächer" sei als vor dem Golfkrieg 1991.

Wie passte das alles zusammen mit den Behauptungen der Bush-Mannschaft im September 2002, die USA müssten einem irakischen Angriffskrieg, einem neuen Pearl Harbor zuvorkommen? Wie passte das zusammen mit Rumsfelds apokalyptischer Warnung vor Saddam Hussein: „Stellen Sie sich einen Angriff wie den vom 11. September mit Massenvernichtungswaffen vor. Das sind nicht 3000 Opfer. Das sind Zehntausende unschuldiger Männer, Frauen und Kinder."

Welche Erkenntnisse lagen Condoleeza Rice und George W. Bush vor, als sie für einen Präventivkrieg mit dem Satz warben: „Wir wollen nicht, dass der rauchende Colt ein

Atompilz ist"? Der Irak – eine Gefahr für den Weltfrieden und dennoch leicht zu schlagen? Eine bemerkenswerte Argumentation!

Auch über die angeblichen biologischen Waffen des Irak wurde im Herbst 2002 auf einer äußerst dürftigen Faktenbasis spekuliert, nachdem der Versuch, dem irakischen Diktator die Anthrax-Anschläge in den USA in die Schuhe zu schieben, kläglich gescheitert war. Immer mehr Indizien weisen darauf hin, dass das nach dem 11. September versandte Anthrax nicht aus irakischen, sondern aus amerikanischen Labors stammte, die es nach dem Verbot biologischer Waffen eigentlich gar nicht geben dürfte.

Graf Sponeck hat im Juli 2002 in der Nähe von Bagdad die Fabrik Daura besichtigt, in der laut George W. Bush und Tony Blair nachweislich biologische Waffen erforscht und entwickelt werden. Er fand – wie Ende November 2002 die Waffeninspektoren der UNO – ein verfallenes Gebäude vor, in der lediglich irakische Spinnen mit der Produktion biologischer Gifte beschäftigt waren. Graf Sponeck sprach bitter von „absurder Irreführung der Weltöffentlichkeit".

Noch brüchiger als bei den chemischen und biologischen Waffen war 2002 die Beweislage bei den Nuklearwaffen. George Bush sen. hatte 1991 nach dem Golfkrieg noch stolz erklärt: „Amerika hat die nuklearen Fähigkeiten des Irak in die Steinzeit zurückgebombt." Die internationale Atomenergiebehörde in Wien hatte in den folgenden Jahren kontinuierlich festgestellt, dass keinerlei irakische Verstöße gegen das Verbot zur Produktion nuklearer Waffen erkannt werden konnten.

Als George W. Bush Anfang September 2002 über neue sensationelle Erkenntnisse dieser Behörde berichtete und markig erklärte: „Ich weiß nicht, was wir noch an Beweisen brauchen, um gegen den irakischen Präsidenten vorzugehen", handelte er sich unverzüglich ein Dementi der Behörde ein. Neue Erkenntnisse gebe es nicht. Bei den verdächtigen neuen Gebäuden, auf die sich Bush bezog, könne es sich auch um „eine Backstube" handeln.

Auch der Bericht des Instituts für Strategische Studien IISS in London, der angeblich bewies, dass Saddam Hussein in der Lage sei, innerhalb weniger Monate eine Atombombe zu bauen, enthielt nur die seit Jahrzehnten bekannte Plattitüde, dass zum Bau einer einfachen Atombombe mit einem Zehntel der Sprengkraft der Hiroshima-Bombe nur 5 bis 10 Kilogramm hochangereichertes Uran, ein paar hunderttausend Dollar und ein paar Monate Zeit erforderlich wären. Allerdings – so das IISS – dauere es noch Jahre, bis der Irak mit fremder Hilfe (!) waffenfähiges Uran herstellen könne.

Das aber gilt nicht nur für den Irak, sondern für alle Länder dieser Welt. Die amerikanischen Falken verschwiegen auch, dass das IISS ausdrücklich darauf hingewiesen hatte, dass der Irak technisch noch Jahre vom Bau einer Interkontinentalrakete entfernt sei, die die USA erreichen könne.

Der frühere Chefinspektor Scott Ritter erklärte zu den angeblichen Erkenntnissen seiner Regierung in einem Interview lakonisch: „Es gibt trotz aller amerikanischen Behauptungen keine Beweise dafür, dass der Irak Massenvernichtungswaffen besitzt."

Wie brüchig die Beweislage war, als die Hardliner in Washington und London im Herbst 2002 die Kriegstrommeln schlugen, zeigte Tony Blairs Geheimdossier, in dem die Autoren in fast rührender Weise darauf hinwiesen, dass die Bedrohung weniger in Saddam Husseins Waffen, sondern vor allem in der Intensität seines bösen Willens liege.

XXXV.

Trotzdem kann niemand ausschließen, dass der Waffennarr Saddam Hussein wie andere Potentaten der Region tatsächlich irgendwo im Land Massenvernichtungswaffen entwickelt oder versteckt hält. Ich betone das mit großem Nachdruck: Saddam Hussein ist ein gerissener Politiker, der die Weltöffentlichkeit mehrfach hinters Licht geführt hat. Ihm ist fast alles zuzutrauen. Aber dieser Generalverdacht und die finstere Vergangenheit des irakischen Diktators allein sind kein Kriegsgrund. Gerechte Kriege auf Verdacht gibt es nicht.

Mich erinnert die Argumentation der amerikanischen Führung gegenüber dem Irak an den Prozess gegen einen mehrfach vorbestraften Gauner, bei dem ich vor vielen Jahren als Referendar beteiligt war. Obwohl dem Mann nichts, aber auch gar nichts nachzuweisen war, verlangte einer der Schöffen, ein vierschrötiger Bauer aus dem Hochschwarzwald, eine hohe Gefängnisstrafe. Als der Gerichtsvorsitzende ihn überrascht nach seiner Begründung fragte, antwortete der Schwarzwaldbauer mit Stentorstimme frei nach Johann Peter Hebel: „Wenn er's g'wese isch, g'schiht's ihm recht, un wenn er's nit g'wese isch, dann isch's em e Lehr."

Nach demselben Motto scheint George W. Bush vorzugehen. Wenn Saddam Massenvernichtungswaffen besitzt, ist ein Angriffskrieg seine gerechte Strafe, wenn nicht, geschieht es ihm auch recht. Den Bush-Männern scheint es egal zu sein, dass ein Angriffskrieg bei dieser Beweislage elementarsten Rechtsgrundsätzen widerspricht. Auch der schlimmste Verbrecher darf nur dann bestraft werden, wenn er zweifelsfrei überführt ist. Den Rechtsstaat erkennt man daran, dass er selbst größten Gaunern ein Höchstmaß an Gerechtigkeit widerfahren lässt.

Das Entscheidende jedoch ist: Selbst wenn Saddam Hussein große Mengen an chemischen, biologischen und atomaren Waffen besäße sowie Raketen und Flugzeuge, die die USA erreichen könnten, ja selbst wenn Saddam wie andere Staaten Kontakte zur al Qaida gehabt hätte, wäre dies nach geltendem Völkerrecht kein Grund für einen Präventivkrieg.

Die USA müssten sonst viele Staaten ins Visier nehmen: Indien und Pakistan wegen ihrer Atomwaffen, Pakistan außerdem wegen seiner jahrelangen massiven und vielleicht auch heute noch heimlich gewährten Unterstützung für al Qaida, den Iran aus ähnlichen Gründen sowie Saudi-Arabien und die arabischen Emirate wegen ihrer Finanzierung von al Qaida – von den Atomwaffen Israels ganz zu schweigen.

Und natürlich wäre auch Nordkorea ein Kandidat für einen Präventivschlag. Oder gelten für Pjöngjang andere Maßstäbe, weil es dort kein Öl gibt? Hat König Abdullah II. von Jordanien, ein Mann des Maßes und der Mitte, nicht Recht, wenn er sagt: „Wenn man vom Irak verlangt, alle Massenvernichtungswaffen abzuschaffen, dann muss man sich auch die anderen Länder in der Region anschauen!"

Eine „vorbeugende Selbstverteidigung" auf der Basis eines Beschlusses des Weltsicherheitsrats käme nur dann in Betracht, wenn der Irak konkret einen Angriff auf die USA planen würde und unmittelbar vor der Ausführung stünde – oder wie Lawrence Eagleburger, Außenminister unter Bush sen., formulierte: Wenn das Weiße Haus nachweisen kann, dass Saddam Hussein „den Finger am Abzug" hat und unmittelbar vor dem Einsatz biologischer und chemischer Waffen steht.

Das aber würde voraussetzen, dass Saddam Hussein ein Selbstmörder ist. Denn Saddam weiß genau, dass die USA sofort vernichtend zurückschlagen würden, und dass ihn das, wie der Vorsitzende des Verteidigungsausschusses des amerikanischen Senats, Carl Levin, kurz und prägnant bemerkte, innerhalb kürzester Zeit „Macht und Leben" kosten würde.

Ein Selbstmörder aber ist Saddam Hussein, der anders als heimatlose Terroristen nicht einfach in anderen Ländern untertauchen kann, gerade nicht. An nichts hängt der irakische Diktator mehr als an seiner Macht und seinem Leben. Das hat er in seiner langen politischen Karriere tausendfach bewiesen.

Die Behauptung, Saddam Hussein könne das mächtigste Land der Welt angreifen, ist – abgesehen davon, dass er die hierzu erforderlichen Flugzeuge und Raketen nicht besitzt – das Lächerlichste und Unsinnigste, was in der ohnehin abenteuerlichen Irak-Debatte geäußert wurde. Saddam Hussein weiß, dass ein Angriff auf die USA ein Schuss in die eigenen Füße wäre – und zwar sein letzter.

Es ist schon grotesk, dass der mehr als zehntausend Kilometer entfernte Riese USA angeblich vor einem irakischen Angriff zittert, während die benachbarten Zwerge Kuwait, Katar und wie sie alle heißen, eine militärische Gefahr durch den wirtschaftlich und militärisch schwer angeschlagenen Irak elf Jahre nach dem Golfkrieg für unrealistisch halten. Für den Außenminister von Katar, Scheich Dschasim Bin Dschabir Al Thani, ist der Irak ein arabisches Land, „das mit der Besetzung Kuwaits einen Fehler gemacht hat. Dieser Fehler ist vorbei." In der Golfregion zittert keine einzige Regierung vor Saddam Hussein.

XXXVI.

Wenn aber die von Saddam Hussein ausgehende militärische Gefahr überschaubar ist, was sind dann die wahren Motive für Bushs wilde Entschlossenheit, den Irak anzugreifen? Ist es die Beseitigung von Diktatoren, die Hoffnung auf einen Demokratisierungsschub in der muslimischen Welt, wie aus der Umgebung des amerikanischen Präsidenten immer wieder lanciert wird?

Saddam Hussein ist in der Tat ein gnadenloser Diktator, der sein Land zu einem Polizeistaat gemacht hat und sein Volk brutal unterdrückt. Aber würden die USA für die Beseitigung dieses Tyrannen, den sie jahrelang mit Geld und Waffen als antifundamentalistisches Bollwerk gegen den iranischen Revolutionsführer Khomeini unterstützt hatten, den Tod von Tausenden GIs riskieren – wie führende amerikanische Generalstabsoffiziere beim Einsatz von Bodentruppen entgegen allen offiziellen Erklärungen befürchten?

Abgesehen davon, dass Angriffskriege zur Absetzung von Diktatoren im Völkerrecht nicht vorgesehen sind, spricht die zunehmende Zahl der Unrechtsregime, mit denen die USA seit George W. Bushs Machtübernahme freundschaftlich kooperieren, gegen dieses edle Motiv. Der Antiterrorfeldzug hat die Zahl der diktatorischen Verbündeten der USA sprunghaft steigen lassen. Zu der aus fast 100 Staaten bestehenden „mächtigen Koalition zivilisierter Nationen" (Bush) gehören schreckliche Gewaltregime, nicht nur in Tadschikistan und Usbekistan.

Noch nie wurden kriminelle Diktatoren von einem amerikanischen Präsidenten so umworben wie nach dem 11. September. Man muss schon eine Weltanschauung aus dem

Legoland haben, um diese Unterstützung des Bösen zur Ausrottung des Bösen moralisch nachvollziehen zu können. Ein Schurkenstaat ist offenbar nur dann ein Schurkenstaat, wenn er den Interessen George W. Bushs im Weg steht und sich das wirtschaftlich oder militärisch nicht leisten kann.

Ein weiteres Motiv für das Hochspielen des Irak-Themas könnte sein, dass George W. Bush von innenpolitischen Themen, von Bilanzskandalen, Börsencrash und Konjunkturschwäche, aber auch von der Tatsache ablenken will, dass er das ausdrücklich erklärte Ziel des Antiterrorkriegs – Bin Ladens Skalp – noch immer nicht vorlegen kann.

Beides spielt in den Überlegungen der Bush-Mannschaft sicher eine Rolle. Die Bin-Laden-Pleite tut weh. Zwar gehen erfreulicherweise immer wieder einzelne Al-Qaida-Terroristen – und vielleicht eines Tages auch Bin Laden – den amerikanischen, deutschen und pakistanischen Fahndern ins Netz. Aber das sind Erfolge der Polizei und der Geheimdienste und nicht des Militärs. Die aber hätte man auch ohne die milliardenteure, mörderische Bombardierung afghanischer Städte und Dörfer haben können.

Die Frage, ob der Antiterrorkrieg ein Erfolg oder ein Flop war, wird auch in den USA immer häufiger gestellt. Ein Sieg über Saddam Hussein wäre da in der Tat hilfreich, das verblassende Siegerimage George W. Bushs wieder aufzufrischen. Für Al Gore ist das der Hauptgrund, warum George W. Bush ein neues, „leichter zu lokalisierendes Ziel" braucht. Wenn schon nicht Bin Laden, dann wenigstens Saddam Hussein!

Vielleicht will der amerikanische Präsident im Rahmen der Bushschen Familienfehde mit dem Tyrannen von Bagdad auch eine alte Rechnung begleichen. Saddam Hussein hat in den letzten Jahren den Antiamerikanismus zur Staatsräson seines Landes gemacht. Er hat sich keine Gelegenheit entgehen lassen, in rüder und auch törichter Weise die Bushs und die USA zu verhöhnen. All das hat zu einer tiefen persönlichen Feindschaft geführt, die beide Seiten sorgfältig pflegen.

Eine noch größere Rolle könnte ein Vaterkomplex George W. Bushs spielen, der in den amerikanischen Medien unter der Überschrift „Georg II gegen Georg I" immer wieder genüsslich breitgetreten wird. Danach erleben wir die Geschichte eines Sohnes, der sportlich und intellektuell, als Manager und als Politiker nie die Brillanz seines Vaters erreichte und immer wie dessen „verwackelte Kopie" (Frank Bruni) aussah. Diesem Vater also und der Welt wollte Bush jun. nun endlich zeigen, dass er etwas schaffe, was sein Vater nicht geschafft hatte – und vielleicht aus wohlbedachten Gründen auch nicht schaffen wollte – die Ausschaltung Saddam Husseins.

Für die These großer Differenzen zwischen Senior und Junior in der Irakfrage spricht, dass sich die meisten führenden Politiker und Strategen von Bush sen. inzwischen ausdrücklich gegen einen Präventivkrieg gegen Saddam Hussein ausgesprochen haben: die ehemaligen Außenminister Baker und Eagleburger, der Sicherheitsberater Scowcroft und der damals kommandierende General Schwarzkopf. Dass auch Außenminister Powell, seinerzeit Generalstabschef, einem Angriffskrieg kritisch gegenübersteht, ist bekannt.

XXXVII.

Mindestens so entscheidend wie alle innenpolitischen, persönlichen oder emotionalen Motive dürfte jedoch eine viel banalere Tatsache sein: Im Irak liegen die zweitgrößten – nach Aussagen irakischer Experten sogar die größten – Erdölvorräte der Welt.

Die Kontrolle über den Irak würde die albtraumartige Abhängigkeit der USA von ihrem politisch instabilen Öllieferanten Saudi-Arabien, der zunehmend auf Distanz zu Washington geht, deutlich verringern. Für die USA, die durch den Sturz des Schahs vor 22 Jahren schon den Iran verloren haben, wäre es ein rohstoffpolitischer Supergau, wenn sie Saudi-Arabien als wohlgeneigten Erdöllieferanten verlieren würden. Die amerikanische Dominanz in der Golfregion, in der nahezu zwei Drittel aller bekannten Ölreserven liegen, wäre damit beendet.

Es spricht viel dafür, dass diese Sorgen beim amerikanischen Präsidenten, der ebenso wie sein Vize Cheney aus der Ölindustrie kommt, eine zentrale Rolle spielen. Und so könnte es sein, dass es weniger um Demokratisierung als um einen hegemonialen Ordnungskrieg, um die rohstoffpolitische Kolonisierung des Nahen Ostens geht – dass es um Öl geht, um blutiges Öl.

Auch im Krieg gegen Afghanistan hat der unstillbare Durst nach Öl eine in der Öffentlichkeit meist übersehene Rolle gespielt. Afghanistan grenzt an die reichen Erdgas- und Erdölfelder rund um das Kaspische Meer. Die USA haben mit Hamid Karsai, den ich für einen integren Mann halte, einen Politiker an die Spitze Afghanistans gesetzt, der früher als Berater des amerikanischen Ölkonzerns Unocal tätig war und noch Mitte der neunziger Jahre mit den Taliban über den Bau einer Erdgasleitung quer durch Afghanistan verhandelt hatte.

Auch der amerikanische Sonderbeauftragte für Afghanistan, Zalmay Khalilzad, von dem gut informierte Beobachter sagen, er sei der mächtigste Mann Afghanistans, stand früher auf der Payroll von Unocal. Eine der ersten Entscheidungen, die Karsai als Übergangspräsident traf, war der Beschluss, mit dem Bau der von der amerikanischen Ölindustrie gewünschten Erdgasleitung so bald wie möglich zu beginnen – wann immer das sein mag.

Scheich Jamani – einst Erdölminister Saudi-Arabiens und großer Amerikafreund – nennt die Afghanistanpolitik „kühle Interessenpolitik" zur Erlangung der Vorherrschaft über die Energiereserven des Kaspischen Meeres. Die Anschläge des 11. September seien „eine goldene Gelegenheit für die Vereinigten Staaten gewesen, ihren Einfluss nach Süd- und Zentralasien auszuweiten und ihre Abhängigkeit vom nahöstlichen Öl zu verringern".

Wenn es George W. Bush gelänge, jetzt auch noch einen Unocal-Berater an die Spitze des Irak zu hieven, hätte er in der Tat die rohstoffpolitische Verwundbarkeit der USA entscheidend verringert. Die Bohrtürme des Irak dürften in den Überlegungen der Bush-Berater eine erheblich größere Rolle spielen als die so vehement in den Vordergrund gespielte Gefahr eines bevorstehenden Angriffs des militärischen Zwergs Irak gegen den militärischen Riesen USA.

Dass arabisches Öl in der amerikanischen Außenpolitik von jeher eine zentrale Rolle spielt, ist bekannt. Selbst der ganz und gar nicht bellizistische frühere amerikanische Präsident Jimmy Carter hatte am 23. Januar 1980 vor dem amerikanischen Kongress erklärt: „Jeder Versuch einer fremden Macht, die Kontrolle über die Region am Persischen Golf zu erlangen, wird als Angriff auf die lebenswichtigen Interessen der Vereinigten Staaten angesehen. Jeglicher Angriff dieser Art wird mit allen Mitteln zurückgeschlagen."

All das ist nicht neu. Neu ist, dass mit George W. Bush ein amerikanischer Präsident offenbar planmäßig einen Krieg gegen ein arabisches Erdölland vorbereitet, um dessen Erdölvorräte unter Kontrolle zu bekommen.

Und so dürften George W. Bush und Tony Blair bei ihren häufigen Treffen zum Irak-Konflikt wahrscheinlich weniger über die Massenvernichtungswaffen und Menschenrechtsverletzungen Saddam Husseins sprechen als über die Frage, wer nach einem Sieg über den Irak welche Erdölfelder ausbeuten darf.

Diese Frage hat die USA, Großbritannien und Frankreich in den letzten hundert Jahren stets erheblich mehr beschäftigt als das Schicksal der Menschen im Irak. Und die angebliche Gefahr, die von Saddam Hussein ausgeht, dürfte weniger die militärische Sicherheit der Supermacht USA betreffen als den Erdölkolonialismus George W. Bushs.

XXXVIII.

Die Gründe *gegen* einen Präventivkrieg sind gewichtiger, zahlreicher und leichter darzustellen als alle Argumente, die *für* ihn ins Feld geführt werden:

Ich habe schon darauf hingewiesen: Ein Präventivkrieg gegen den Irak wäre schlicht und ergreifend völkerrechtswidrig. Die UN-Charta verbietet jeden Einsatz von Gewalt außer zur individuellen und kollektiven Selbstverteidigung. Die Vereinten Nationen sind geschaffen worden, um Konflikte politisch und nicht militärisch zu lösen und um Willkür und Anarchie aus der Staatenwelt zu verbannen. Auch das deutsche Grundgesetz stuft in Artikel 26 den Angriffskrieg ausdrücklich als verfassungswidrig ein und stellt ihn sogar unter Strafe.

Angriffskriege gelten seit den Nürnberger Prozessen als schweres völkerrechtliches Verbrechen. In der Urteilsbegründung des Nürnberger Kriegsverbrecher-Tribunals heißt es: „Die Entfesselung eines Angriffskrieges ist das größte internationale Verbrechen, das sich von anderen Kriegsverbrechen nur dadurch unterscheidet, dass es in sich alle Schrecken vereinigt und anhäuft."

In der Nürnberger Anklageschrift hatte der amerikanische Chefankläger Robert Jackson formuliert, „… dass nach dem gleichen Maße, mit dem wir die Angeklagten heute messen, auch wir morgen von der Geschichte gemessen werden." Und am Ende des Prozesses sagte er an die Adresse der Sieger: „Das Kriegsrecht gilt nicht nur für Verbrecher besiegter Länder. Das Kriegsrecht ist keine Einbahnstraße."

Natürlich könnte man zynisch argumentieren, das Recht gehöre immer dem Stärksten, es sei die legitime Beute des Siegers. Dann wäre Recht grundsätzlich das, was George

W. Bush recht ist. Aber ist nicht gerade der Versuch der USA, das Recht des Stärkeren über das Recht des Schwächeren zu stellen, eine der Ursachen des muslimischen Terrorismus? Führt Macht ohne Gerechtigkeit nicht immer zum gewaltsamen Widerstand?

Außerdem wäre ein amerikanischer Präventivkrieg ein Präzedenzfall, der das Gewaltverbot der UN-Charta ein für alle Mal aushebeln würde. Wer wollte dann noch Staaten wie Indien, Pakistan oder China daran hindern, unter Berufung auf die USA in ihre Nachbarländer einzumarschieren?

Robert Kennedy hatte während der Kuba-Krise im Oktober 1962 den Überfall auf ein Land, von dem man vorher nicht selbst angegriffen worden sei, zu Recht als „unamerikanisch" bezeichnet. Wer das tue, handle so wie die Japaner in Pearl Harbor und stelle alle Werte in Frage, für die Amerika stehe. Gilt das heute nicht mehr?

Auch die wirtschaftlichen Folgen sprechen gegen einen Angriff auf den Irak. Der Golfkrieg 1991 kostete bereits 80 Milliarden Dollar, der nächste Golfkrieg dürfte nach Schätzungen von Lawrence Lindsay, dem früheren Wirtschaftsberater George W. Bushs, zwischen 100 und 200 Milliarden Dollar kosten. Hinzu kämen 20 bis 50 Milliarden Dollar jährlich, für die zu erwartende Stationierung Zehntausender amerikanischer und internationaler Friedenstruppen im Irak.

Der erste Golfkrieg führte zu einer Rezession, die Bush sen. das Amt kostete. Ein weiterer Golfkrieg könnte die Wirtschaft der USA und damit die gesamte Weltwirtschaft erneut in eine Rezession stürzen und nicht nur Saddam Hussein, sondern auch Bush jun. die Macht kosten.

Bei einem Präventivkrieg wäre außerdem die Antiterrorkoalition am Ende – mit unabsehbaren Folgen für den gesamten Nahen Osten. Der Sicherheitsberater von George

Bush sen. Scowcroft erklärte, der Einmarsch könnte „die ganze Region in einen brodelnden Kessel verwandeln". Und die Arabische Liga warnte, bei einem Überfall auf den Irak könne sich das „Tor zur Hölle" öffnen.

Saddam Hussein, der sich als Nachfolger Nebukadnezzars und als zweiter Saladin sieht, würde angesichts seines drohenden Untergangs mit an Sicherheit grenzender Wahrscheinlichkeit wie im ersten Golfkrieg mit allen ihm zur Verfügung stehenden Waffen Israel angreifen, auch wenn sein Stellvertreter Aziz das offiziell ausschließt. Und niemand könnte einen israelischen Gegenschlag mit atomaren Waffen ausschließen.

Die Befürworter eines Angriffskriegs behaupten, die USA würden den Krieg schnell und problemlos gewinnen. Es könnte sein, dass sie Recht haben, es könnte sein, dass sie sich irren. Wenn es in Bagdad zum Häuserkampf käme, würde den amerikanischen Truppen ihre technologische Überlegenheit nicht viel nützen. Über die Dauer von Kriegen haben sich schon andere Kriegsherren gründlich getäuscht. Kaiser Wilhelm II. war mit dem Satz in den Ersten Weltkrieg gestürmt: „Der Krieg ist zu Ende, bevor die ersten Herbstblätter fallen" – ein Irrtum, der einen ganzen Kontinent ins Unglück stürzte.

Wenn man für einen Augenblick unterstellt, die amerikanische Führung habe Recht und Saddam Hussein besitze tatsächlich chemische, biologische und vielleicht sogar atomare Waffen aus sowjetischen Beständen – sieht der amerikanische Präsident denn nicht, in welches Inferno gerade dann ein Angriffskrieg nicht nur den Nahen Osten, sondern die gesamte westliche Welt stürzen würde? Schreit nicht gerade ein – in der Tat nicht auszuschließender – Besitz von Massenvernichtungswaffen in den Händen Saddam Husseins nach einer politischen Lösung?

Was sollte Saddam daran hindern, diese Massenvernichtungswaffen – wenn er sie tatsächlich hat – kurz vor seinem Ende gegen die vorrückenden amerikanischen Truppen und wie im letzten Golfkrieg gegen Israel einzusetzen? Würde ein Präventivschlag nicht genau das herbeiführen, was er verhindern soll: den Einsatz von Massenvernichtungswaffen? Es ist schon ein bemerkenswertes Phänomen, dass ausgerechnet die CIA auf diesen Denkfehler in der Argumentation des amerikanischen Präsidenten hinweisen musste.

Und wer garantiert, dass der einst von den Kolonialmächten auf dem Reißbrett künstlich zusammengefügte Staat Irak nach einer erneuten militärischen Niederlage nicht endgültig auseinander bricht und in einen kurdischen, einen sunnitischen und einen schiitischen Teil zerfällt? Sieht der amerikanische Präsident nicht, welche verheerenden Folgen eine Balkanisierung für die Sicherheit der Türkei hätte und welche unerwünschten Vorteile für den Iran? Sieht er nicht, dass ein Angriff auf den Irak ein Sprung ins Dunkle ist?

George W. Bush sollte sich nicht allzu sehr auf das berühmte Bismarck-Wort verlassen, „dass Betrunkene und die USA unter dem besonderen Schutz der Vorsehung stehen". Man muss kein Pazifist, kein Moralist und kein Tagträumer sein, um zu erkennen, dass der amerikanische Präsident in der Irak-Frage in lebensgefährlicher Weise mit dem Feuer spielt.

Die Leichtigkeit, mit der ein Teil der amerikanischen Führung über all das hinweggeht, hängt möglicherweise damit zusammen, dass viele Politiker der USA die arabische Welt weder kennen noch verstehen. Das gilt ganz besonders für den amerikanischen Präsidenten. Selten hat ein so mächtiger Mann so wenig von der Welt gewusst und verstanden wie George W. Bush.

Das ist kein Plädoyer für den nationalistischen Sozialisten Saddam Hussein und schon gar nicht dafür, die Brutalität und Gefährlichkeit des irakischen Diktators zu verharmlosen. Aber es ist ein Plädoyer dafür, die Debatte über den Irak auf einem anderen intellektuellen Niveau zu führen und endlich wieder den Fakten eine Chance zu geben.

Ein Angriff auf den Irak würde von der Bevölkerung der arabischen Staaten, deren Regierungen sich monatelang geschlossen gegen eine Militärintervention ausgesprochen hatten und die dann systematisch unter Druck gesetzt und weichgeklopft wurden, als Angriff auf den Islam und als weitere Demütigung der arabischen Welt verstanden. Das gilt vor allem nachdem Saddam bedingungslos der Rückkehr der Waffeninspekteure zugestimmt hat!

Ein Angriffskrieg gegen den Irak würde den Antiamerikanismus in den muslimischen Ländern massiv verstärken und den muslimischen Terrorismus weiter fördern. Es könnte sein, dass wir 30 Tage Bomben auf den Irak mit 30 Jahren Terrorismus bezahlen.

Seit zwei Jahrhunderten behandeln die westlichen Länder die arabische Welt als kolonialen Besitz und ihre Bevölkerung als Menschen zweiter Klasse, die man klein halten und ausbeuten darf. Wir haben in den Zeiten der Kolonialisierung und auch danach keine Gelegenheit ausgelassen, die arabische Welt zu demütigen. Auf meinen zahlreichen Reisen in die arabischen Länder seit Ende der fünfziger Jahre habe ich immer wieder erlebt, wie sehr das bis heute nachwirkt.

Wir haben längst vergessen, dass wir der arabisch-islamischen Kultur bis heute in Philosophie, Mathematik, Physik und Kunst unendlich viel verdanken, dass die islamische Welt den Europäern jahrhundertelang bis ins Mittelalter kulturell turmhoch überlegen war.

Da die arabische Welt an den wissenschaftlichen und wirtschaftlichen Quantensprüngen der Neuzeit in der Tat nicht beteiligt war, wird die Ohnmacht gegenüber der technologischen und ökonomischen Überlegenheit des Westens von den stolzen Erben des Islam, „der besten aller Gemeinschaften", besonders bitter empfunden. Ein Angriffskrieg gegen das „irakische Brudervolk" könnte jener verhängnisvolle Funke sein, der das Pulverfass Naher Osten zur Explosion bringt.

Die Hintermänner der Anschläge vom 11. September haben genau das herbeigesehnt: eine Solidarisierung der islamischen Welt nach einem Willkürkrieg des „christlichen" Westens gegen ein muslimisches Land. Wenn wir wollen, dass der muslimische Terrorismus von einer Minderheitenbewegung zu einer Massenbewegung, und unser junges Jahrhundert zu einem Jahrhundert des Terrorismus wird, müssen wir genau diesen Krieg führen.

Außer der ungeduldig in den Startlöchern sitzenden amerikanischen Ölindustrie hat niemand ein glühenderes Interesse an einem Angriffskrieg der USA gegen den Irak als al Qaida. Er würde Bin Laden ein weiteres wichtiges Argument für seine mörderische Propaganda liefern. Manchmal könnte man fast meinen, die Tatarenmeldungen über irakische Massenvernichtungswaffen und über Verbindungen al Qaidas zu Saddam Hussein seien von al Qaida und deren Helfershelfern lanciert.

XXXIX.

Gegen einen Präventivkrieg gegen den Irak spricht auch die zu erwartende hohe Zahl ziviler Opfer. Wie viele schuldlose Männer, Frauen und Kinder darf man töten, um einen Diktator aus dem Amt zu jagen? Mein Sohn sagte mir dieser Tage: „Weißt du, dass alle meine Kumpel aus Bagdad eingezogen werden, wenn es losgeht? Das sind Schüler und Studenten genau wie ich. Es kann doch einfach nicht sein, dass es keine andere Lösung gibt!" Sollte ich ihm sagen, dass die Tränen der Kinder von Bagdad im edlen Westen niemanden kümmern?

Ich stelle hartnäckig immer wieder die Frage: Was ist unser Bekenntnis zur gleichen Würde aller Menschen wert, wenn wir nur der 3000 unschuldig ermordeten New Yorker gedenken, über doppelt so viel unschuldig getötete afghanische Zivilpersonen und über Zehntausende irakischer Ziviltote aber hinwegsehen? Kommt da bei uns allen nicht ein Stück latenter Rassismus zum Vorschein, denken wir nicht insgeheim: Was ist schon ein toter Afghane oder ein toter Iraki gegen einen toten Deutschen oder einen toten Amerikaner?

Man kann die Demokratie nicht mit undemokratischen Mitteln, die Menschenrechte nicht mit Menschen verachtenden Methoden verteidigen. Ich glaube, dass bei einem Angriff auf den Irak, seine Städte und seine Menschen genau das stirbt, was den Wert unserer politischen Kultur, unserer Zivilisation ausmacht: dass wir die Würde und das Lebensrecht der Menschen in den Ländern der Dritten Welt genauso achten wie die Würde der Menschen in New York, London, Paris und Berlin.

Während ich diese Zeilen an einem Wochenende Ende November 2002 schrieb, erhielt ich von meinem Freund

Belal Mogaddedi, einem Neffen des früheren afghanischen Präsidenten Sibghatullah Mogaddedi, einen Anruf aus Kabul. In dem Telefonat schilderte Mogaddedi seine Begegnung mit dem 11-jährigen afghanischen Schüler Sabur, der ihm erzählte, wie er ein Jahr zuvor die Bombardierung Kabuls erlebt hat. Mogaddedis Schilderung macht konkret, was Krieg wirklich bedeutet, und was er mit Menschen anrichtet.

Menschen sind keine Abstraktion. Sie haben ein Gesicht, eine Geschichte, ein Schicksal. Sabur, so erzählte mir Mogaddedi, sieht aus wie ein afghanischer Lausbub. Er hat kurze schwarze Haare, dunkle braune Augen, eine kleine Stupsnase, ist sehr schlank und ziemlich klein. Er trägt afghanische Tracht und einen alten verschlissenen Anorak, der ihn notdürftig vor der herbstlichen Kälte Kabuls schützen soll. An seiner beigen Pluderhose klafft ein großes Loch. Die erdfarbenen Gummischuhe, die er trägt, sind mehrfach geflickt.

Trotzdem macht Sabur keinen abgerissenen Eindruck. Im Gegenteil: Seine Hände und seine Fingernägel sind sauber, nur sein Haar ist etwas verstaubt, aber das ist normal in Kabul. Die ganze Stadt liegt unter einer Staubwolke. Saburs Gesichtsausdruck lässt nicht erkennen, was er in jenen Oktobertagen 2001 erlebt hat. Nur seine Augen lassen ahnen, dass er die Ereignisse von damals noch nicht verarbeitet hat.

Sibghatullah Mogaddedi berichtete mir, was Sabur ihm mit stockenden Worten erzählt hat. Ich habe diesen Bericht auf Tonband aufgezeichnet:

„Ich wohne in Khair Khana im Norden von Kabul. Bevor ich in die Schule gehe, ziehe ich morgens um sechs Uhr zusammen mit meinem älteren Bruder Qand Agha unseren Obstkarren auf den Markt, um Äpfel und Granatäpfel zu verkaufen.

An jenem Oktobermorgen hörten wir gegen sieben Uhr wieder das Dröhnen der amerikanischen Flugzeuge. Unser Viertel war in den Wochen zuvor häufig bombardiert worden. Einmal war eine ganze Gruppe von Schülern auf dem Schulweg von einer Rakete getötet worden.

Diesmal kamen die Flugzeuge aus einer anderen Richtung als sonst. Ich sah, wie zwei Raketen in einen Berghang einschlugen und detonierten. Kurz danach schlug unter unglaublichem Lärm eine dritte Rakete in dem Viertel ein, in dem wir wohnen. Wahrscheinlich sollte die Rakete die Kaserne treffen, die am Rande unseres Viertels liegt, einige Kilometer von unserem Haus entfernt.

Wenige Minuten später kam der Metzger, der in unserer Gasse wohnt, völlig außer Atem angerannt und schrie, wir sollten sofort nach Hause kommen, eine Rakete habe unser Haus getroffen. Wir ließen alles liegen und stehen und rannten los.

Vor unserem Haus standen viele Nachbarn, sie schrieen und weinten. Ich wühlte mich durch die Menschen und sah, dass das ganze Haus zerstört war. Die Nachbarn hatten schon die ersten Toten aus den Trümmern gezogen. Auch meine Mutter lag auf dem Boden. Ich warf mich weinend auf sie, umarmte sie, versuchte mit ihr zu reden, aber sie gab kein Lebenszeichen mehr von sich.

Neben meiner Mutter lag die Frau meines Onkels und ihre vier Kinder Khaled, Ares, Sohail und Tamim. Sie waren noch keine zehn Jahre alt. Auch unser Nachbar und sein Sohn Sardar, der wie ich fast jeden Morgen Obst verkaufte, waren tot. Sardar war mein bester Freund.

Wir begannen verzweifelt in den Trümmern nach meinem Vater zu suchen. Wir fanden ihn unter Holzbalken verschüttet, er lebte. Zusammen mit unseren Nachbarn zogen wir ihn heraus. Er hatte Glück gehabt und nur leichte Verletzungen. Wir fanden auch meine kleine Schwester in den Trümmern. Sie war am ganzen Körper mit Splittern übersät, auch im Gesicht. Insgesamt gab es neun Tote und noch mehr Verletzte.

Wir haben die Verletzten sofort ins Krankenhaus gebracht und die Toten noch am selben Tag begraben. Ich habe tagelang geweint, weil ich meine Mutter sehr geliebt habe. Auch heute muss ich immer noch weinen, wenn ich an sie denke. Manchmal besuche ich ihr Grab, aber das hilft auch nicht viel. Ich muss dann nur noch mehr weinen. Mein Vater hat mir gesagt, ich solle nicht weinen, das beunruhige die Seele meiner Mutter.

Damals, als ich all die Toten sah, hatte ich keine Rachegefühle, mein Kopf und mein Herz waren leer. Aber jetzt kommt manchmal Bitterkeit in mir auf. Der Krieg hat zwar die Taliban vertrieben, aber meiner Familie hat er nur Tod und Zerstörung gebracht. Auch mein Vater hat damals, als er die Toten sah, nichts gesagt. Jetzt aber wacht er nachts oft schreiend auf.

Vor dem Raketeneinschlag habe ich immer von schönen Dingen geträumt. Von Treffen mit Freunden und Picknicks, bei denen es viel Reis, Hackbällchen und Gegrilltes gab. Meistens habe ich so etwas geträumt, wenn ich wieder einmal hungrig ins Bett musste. Wir hatten oft Hunger, weil mein Vater arbeitslos ist und nur mein ältester Bruder Geld verdient.

Jetzt träume ich nur noch selten. Und wenn ich träume, dann immer nur denselben schrecklichen Traum. Ich träume von einem riesengroßen roten Hund. Er stürzt durch unsere Hoftür ins Haus und beißt wild um sich. Auch mich beißt er überallhin. Doch dann kommt mein Bruder herbeigerannt und vertreibt ihn mit Steinen. Dann wache ich schweißgebadet auf.

Jetzt habe ich Ferien, so dass ich den ganzen Tag zu Hause sein kann. Ich gehe in die dritte Klasse und bin der Viertbeste in unserer Klasse mit 50 Schülern. Der Klassenbeste ist mein Freund Jamil. Donnerstags gehen wir gemeinsam auf den Schulhof, um Tore zu schießen. Nachmittags bin ich bei meinem Onkel, der an der Polizeiakademie arbeitet. Dann lerne ich ein bisschen, weil die Schule bald wieder beginnt. Vielleicht werde ich später auch einmal Polizist und vielleicht sogar Arzt. Ich werde mich sehr anstrengen.

Unser Haus haben wir zusammen mit unseren Nachbarn wieder aufgebaut – fast so wie früher. Aber es ist trotzdem nicht mehr mein Haus, weil meine Mutter nicht mehr da ist. Wenn ich einen Wunsch frei hätte, würde ich mir unser altes Haus zurückwünschen mit meiner Mutter, die uns etwas kocht und backt.

Ich hoffe, dass der Krieg in Afghanistan bald aufhört. Meine Familie und ich haben durch ihn nur Leid und Elend erlitten. Wir haben nur verloren. Der Krieg hat mir meine Mutter weggenommen, meine vier Cousins und meinen Freund Sardar."

XL.

Auf die Kinder im Irak kommen dieselben Erlebnisse zu. Patrick rief mich wenige Tage nach Mogaddedi an und fragte, ob ich einen Brief eines jungen irakischen Mädchens an den amerikanischen Präsidenten weiterleiten könnte. Er habe den etwas unbeholfenen und holprigen Brief, so gut es ging, ins Englische übersetzen lassen und Duaa versprochen, alles zu tun, damit ihr Schreiben wirklich bei George W. Bush lande. Der Brief lautet:

„Lieber Herr Bush,
ich bin ein 12 Jahre altes Mädchen und heiße Duaa. Ich weiß nicht, wie ich Ihnen schreiben soll. Worte können unser Leid nicht beschreiben.

Meine Familie ist sehr arm. Ich habe drei Schwestern und zwei Brüder. Wir leben zusammen mit meiner Mutter in einem Zimmer. Auch das Zimmer gehört uns nicht. Ich wäre froh, es würde uns gehören, denn die Miete kostet 30 000 Dinar (Anm. des Übersetzers: Das sind 15 Dollar).

Mein Vater ist tot, meine Mutter herzkrank. Meine beiden Schwestern sind älter als ich. Shaymää ist 19 und Nawal 16 Jahre alt. Sie arbeiten als Hausmädchen, damit wir überleben können. Beide haben die Schule nach der 5. Klasse aufgeben müssen.

Meine zwei Brüder sind in der 2. und 3. Klasse. Sie können vielleicht die Schule zu Ende führen. Meine 11-jährige Schwester und ich haben die Schule dieses Jahr verlassen, weil wir nichts mehr zum Anziehen hatten, und weil wir für die Schule immer wieder Sachen kaufen mussten, die wir nicht bezahlen konnten.

Ich glaube nicht, dass ich ein Kind bin wie andere. Ich

bin jetzt für die ganze Familie verantwortlich. Ich muss mich um meine Geschwister kümmern, ich koche für sie und halte unser Haus, unser Zimmer sauber. Ich hoffe, dass ich, wenn ich groß bin, eine Arbeit finde, damit ich besser für meine Familie sorgen kann.

1991 während des Krieges starb mein drei Monate alter Bruder, weil meine Eltern kein Geld hatten, Milch für ihn zu kaufen. Wir hatten überhaupt kein Geld, um etwas zu essen zu kaufen. Und meine Mutter hatte keine Muttermilch, um das Baby zu stillen.

Wenn wir morgens etwas essen, haben wir mittags nichts, und wenn wir mittags essen, gibt es abends nichts mehr. Da wo ich wohne, gibt es keine Wasserleitungen, wir müssen das Wasser vom Tankwagen kaufen. Können Sie sich eine Toilette vorstellen ohne Wasser, eine Toilette ohne Tür? Wir haben einen Vorhang davor gehängt.

Das Zimmer, in dem wir leben, ist leer. Es gibt nur Matratzen und Decken. Wir haben keinen Fernseher, um einmal einen Zeichentrickfilm zu sehen wie andere Kinder.

Das ist eine Zusammenfassung unseres Leidens. Ich hoffe, dass das Embargo bald aufgehoben wird und dass wir in Frieden leben können. Wann hört dieses Leid auf? Was habe ich getan? Muss ich all das ertragen, weil ich ein irakisches Kind bin?

Wenn ich Ihr Kind wäre und so leben müsste, würden Sie das akzeptieren? Sie haben über Menschlichkeit gesprochen. Wir haben Ihnen zugehört. Aber was Sie gesagt haben, ist nicht wahr. Die Menschlichkeit, von der Sie sprechen, zerstört unsere Kindheit.

Kennen Sie das Lied des berühmten irakischen Sängers Kadhem Al Sahir, der sagt: ‚Ihr Herz ist vertrocknet, trotz der unschuldigen Tränen der Kinder, die niemals trocknen'? Selbst die Engel im Himmel haben geweint.

Ich bitte Sie im Namen aller irakischen Kinder, die wie ich nicht zur Schule gehen können, die nichts zu essen haben, die keine Medikamente bekommen und die keine Kindheit haben: Haben Sie Mitleid mit uns, heben Sie die Sanktionen auf! Wo ist unsere Schuld? Wir sind nicht auf die Welt gekommen, um zu sterben.

Diese Worte sollen Ihnen zeigen, wie wir leiden. Wenn Sie ein lachendes Kind sehen, denken Sie an uns, die Kinder im Irak. Sie werden sich dann schuldig fühlen, weil wir nichts getan haben, dass man uns alles nimmt. Ich habe von Anfang meines Lebens an zu spüren bekommen, wie arm meine Familie ist, wegen des Krieges, wegen des Ruins unseres Landes und wegen des Hungers.

So ist das Leben aller irakischen Kinder. Wir haben keine Angst mehr vor dem Tod, weil wir ihn jede Minute erleben. Was haben wir getan, dass wir in Furcht und Elend leben müssen?

Wenn Sie über Menschlichkeit sprechen – heben Sie die ungerechten Sanktionen auf! Heben Sie den Ruin und den Schrecken auf! Wir, die irakischen Kinder, werden Sie alle dafür lieben.

Ihre
Duaa Sabah."

Nachdem Duaas Brief in München eingetroffen war, habe ich ihn mit einem kleinen Anschreiben an Daniel Coats, den amerikanischen Botschafter in Deutschland, geschickt. Ich habe ihn gebeten, den Brief an George W. Bush weiterzuleiten. Vielleicht erfüllt er Duaas Wunsch.

XLI.

Die von Saddam Hussein ausgehende Bedrohung lässt sich sehr wohl auf politischem Weg beseitigen, ohne unschuldige Menschen zu töten, ohne durch Hightech-Vandalismus den Nahen Osten und die Welt in ein Chaos zu stürzen, ohne die Weltwirtschaft in eine weitere Krise zu treiben und ohne die Werte der freien Welt auf dem Altar der Macht zu opfern.

Ich wiederhole: Niemand darf das Problem möglicher irakischer Massenvernichtungswaffen verharmlosen. Ich war mein ganzes Leben gegen die Verharmlosung politischer Probleme und gegen bequeme Appeasement-Politik. Aber es gibt nichtmilitärische Lösungen für das Irak-Problem, die erheblich erfolgversprechender sind als ein Präventivkrieg.

Waffeninspektionen sind ein wichtiger Teil dieser Lösungen. Die deutsche Chef-Inspektorin für Bio-Waffen Gabriele Kraatz-Wadsack bezeugt die Wirksamkeit derartiger Inspektionen mit einem einfachen Satz, der alle offiziellen Kriegsargumente des amerikanischen Präsidenten entkräftet: „Wir haben mehr Massenvernichtungswaffen zerstört als die Alliierten im Golfkrieg."

Saddam Hussein weiß, dass die Bereitschaft zu uneingeschränkten Inspektionen seine letzte Chance ist, einen Krieg zu vermeiden. Er wird gut daran tun, dabei auf all die Rosstäuscher-Tricks zu verzichten, die er nach 1991 anwandte und die ihm am Ende weitgehend misslangen.

Ab 1994 wurden die Waffeninspektoren nach Aussagen von Scott Ritter „zu keiner Zeit mehr bei ihrer Arbeit behindert". Widerstände habe es lediglich in Bereichen gegeben, die Saddam Husseins persönliche Sicherheit betrafen, wie nachrichtendienstliche Einrichtungen oder die Paläste Saddams. Umso bemerkenswerter ist es, dass die irakische Führung inzwischen einer Untersuchung aller Palastanlagen zugestimmt hat. Für die in Fragen der Gesichtswahrung übersensible arabische Welt war das ein ganz ungewöhnliches Zugeständnis.

Rolf Ekeus und Scott Ritter wiesen im Sommer 2002 noch einmal darauf hin, dass auch die USA in der Zeit der Waffeninspektionen bemerkenswerte Tricks anwandten. Die USA haben danach Geheimdienstagenten in die Inspektionsteams von UNSCOM geschleust, die die Aufgabe hatten, Material über Regierungsgebäude, Aufenthaltsorte und Sicherheitseinrichtungen Saddam Husseins zu sammeln.

Die gesammelten Informationen seien Ende 1998 in der schweren amerikanisch-britischen Militäraktion Desert Fox gegen den Irak verwendet worden. Die USA hätten außerdem UNSCOM veranlasst, „bewusst provokative Forderungen an den Irak zu stellen, um einen Vorwand für Militärschläge gegen den Irak zu bekommen" (Ekeus). Die Vorbehalte des Irak gegen erneute Waffeninspektionen hätten daher „eine gewisse Berechtigung". Auch UN-Generalsekretär Kofi Annan hatte damals scharf gegen den Missbrauch der UNSCOM zur Spionage gegenüber dem Irak protestiert.

Man sollte die Tricks sowohl Saddam Husseins als auch der CIA kennen, wenn man über das Problem von Waffeninspektionen spricht. Der Irak muss darauf verzichten, die Inspektoren wieder in übler Weise hinters Licht zu führen. Und die USA müssen aufhören, die Inspektoren als verlängerten Arm der CIA zu betrachten und zu bewussten Provokationen zu missbrauchen.

Im Übrigen gilt: Kein Regierungschef der Welt wird alle seine Waffenkammern öffnen, wenn ihm erklärt wird, er werde liquidiert, egal was er tue. Das ist blanker Zynismus. Wer erreichen will, dass Saddam Hussein mit den Vereinten Nationen kooperiert und einen Beitrag zur Stabilisierung der Region leistet, muss ihm das Signal geben, dass kooperatives Verhalten belohnt und nicht bestraft wird.

Waffeninspektionen allein reichen jedoch nicht aus. Abrüstung und Rüstungskontrolle garantieren noch keinen Frieden. Wer das Irakproblem wirklich lösen will, muss ein Gesamtkonzept haben. Dieses Gesamtkonzept sollte in Absprache mit den arabischen Staaten erarbeitet werden.

Der Prozess der Konsensbildung mit schwächeren Staaten fällt der machtbewussten Mannschaft um George W. Bush verständlicherweise schwer. Monopole verführen nicht nur im Wirtschaftsleben zu Übermut und Machtmissbrauch. Wenn der Gorilla im Zoo Hunger hat, verhandelt er auch nicht mit den kleineren Affen, ob sie ihm ihre Banane geben oder nicht. Er nimmt sie sich. Aber ist es wirklich klug, wenn die USA auf die Interessen anderer Staaten und auf das Völkerrecht immer weniger Rücksicht nehmen?

Ich bin sicher, Saddam Hussein wäre zur Zeit zu weitreichenden Abkommen bereit, wenn sie eine faire Perspektive für sein Land enthielten, und wenn sie ihm die Wahrung seines Gesichts erlaubten.

Ein umfassender Friedensplan müsste folgende Elemente enthalten:

1. Ungehinderte Waffeninspektionen und, falls diese zeigen, dass Saddam Hussein tatsächlich über Massenvernichtungswaffen verfügt, weitere Abrüstung.
2. Einen Gewaltverzichtsvertrag des Irak mit allen Nachbarstaaten sowie mit Israel und den USA.
3. Verbindliche irakische Garantien für Kurden und Schiiten.
4. Die Befreiung des gesamten Nahen Ostens von Massenvernichtungswaffen gemäß UN-Resolution Nr. 687.

5. Eine aktive Beteiligung des Irak am Kampf gegen den internationalen Terrorismus.
6. Faire Rohstoffsicherungsabkommen zwischen dem Irak und der freien Welt.
7. Eine Wiederaufnahme des Irak in den Kreis gleichberechtigter Nationen.
8. Die Aufhebung der Wirtschaftssanktionen.

Es genügt nicht, mit neuen „intelligenten Sanktionen" den Strick um den Hals des irakischen Volkes etwas zu lockern. Der Einsatz chemischer Waffen gegen den Iran und gegen die Kurden ist Saddams Verbrechen. Der Tod Hunderttausender Kinder durch unmenschliche Sanktionen ist unser Verbrechen. Es darf nicht sein, dass Diktatoren uns dazu bringen, unsere Werte aufzugeben.

Ich plädiere nicht für Freundschaft mit Saddam Hussein. Eine Demokratie kann zu Tyrannen keine freundschaftlichen Beziehungen aufbauen. Aber ich plädiere für Gerechtigkeit und Klugheit und dafür, den Irak zu einem säkularistischen Bollwerk gegen den militanten Fundamentalismus zu machen. Ich plädiere, gerade weil die Lage explosiv ist, für den Vorrang der Politik vor dem Krieg.

Dieser Acht-Punkte-Plan würde die gesamte Region stabilisieren. Wäre er nicht wenigstens einen Versuch wert? Warum weigern sich die USA, mit dem Irak direkt zu verhandeln? Diese Verhandlungen könnten in kürzester Zeit erfolgreich abgeschlossen werden. Noch nie war die Gelegenheit, den Irak zu tief greifenden Zugeständnissen zu bewegen, so günstig wie heute.

XLII.

Trotz der Beschlüsse des Sicherheitsrats über erneute Waffeninspektionen verfolgen die Hardliner innerhalb der Bush-Administration das Ziel eines Präventivkriegs gegen den Irak unbeirrbar weiter. Vorwände für einen Angriff werden nicht schwer zu finden sein. Die UNO-Resolution vom November 2002 steckt voller Doppeldeutigkeiten und Fallstricke, über die man Saddam Hussein jederzeit stolpern lassen kann, um endlich den Krieg gegen den Irak beginnen zu können.

Vor allem das Problem der zivil *und* militärisch nutzbaren „Dual-use-Güter", wie Chemikalien für Kläranlagen und Wasseraufbereitung, Pflanzenschutzmittel oder klinisch-pharmazeutische Laborsubstanzen, bieten ein jederzeit aktivierbares Konfliktpotenzial. Dass alle Länder der Welt, auch Deutschland und die USA, Dual-use-Anlagen und -Güter in Massen besitzen, ja ohne sie gar nicht überleben könnten, wird die Falken in Washington kaum interessieren.

Am liebsten hätten einige der Hardliner schon Anfang Dezember 2002 den Casus belli ausgerufen, als die irakische Regierung das vom Sicherheitsrat angeforderte Dossier ihrer Waffenbestände vorlegte und erwartungsgemäß behauptete, sie verfüge über keine Massenvernichtungswaffen.

Das Delikt „Nichtablegen eines Totalgeständnisses" findet sich jedoch in keinem Strafgesetzbuch der Welt. Es ist selbstverständlich auch kein legitimer Kriegsgrund. Und ganz bescheiden gefragt: Ist es wirklich so sicher, dass die Führer der USA die Wahrheit sagen, wenn sie behaupten, sie selbst verfügten über keine biologischen Waffen? Warum haben die Vereinigten Staaten dann bis heute den Vertrag über das Verbot biologischer Waffen nicht unterschrieben?

Colin Powell wird man diese für Amerika so untypische Kriegslust nicht unterstellen dürfen. Aber ist er stark genug, allen Falken klarzumachen, dass Krieg nicht prima ratio, sondern ultima ratio ist? Wird er auch in krisenhaften Situationen des Irak-Konflikts, die nicht ausbleiben werden, den Primat der Politik durchsetzen können?

Ein Angriffskrieg gegen den Irak wäre ein ungerechter Krieg. Er wäre ein lebensgefährlicher Rückfall in eine barbarische Urzeit, in der Krieg Normalzustand war, von Friedensverträgen nur zeitweise unterbrochen. In diesem Krieg würden alle verlieren, auch die Sieger.

Die USA sind durch den Zusammenbruch der Sowjetunion in ihre weltpolitische Führungsrolle geradezu hineingestoßen worden. Diese Rolle bringt nicht nur Rechte, sondern auch Pflichten mit sich. Wenn die USA unsere Welt in eine lebenswerte Zukunft führen wollen, müssen sie von einer militärischen zu einer moralischen Supermacht werden. Sie müssen dabei, wie Henry Kissinger gesagt hat, auf die Attraktivität und Verführungskraft ihrer Werte, ihrer Konzepte und Ideen vertrauen, statt diese mit brutaler Gewalt durchzusetzen. Sie müssen vor allem aufhören, die machtlosen Länder der Dritten Welt immer wieder zu erniedrigen und zu demütigen.

Die USA dürfen nicht länger so tun, als hätten sie ein globales Weisungsrecht gegenüber dem Rest der Welt. Vor allem George W. Bush muss seinen absolutistischen Anspruch aufgeben „Le monde, c'est moi", den er ohnehin nicht in einem Lehrbuch der Staatskunst gefunden hat. Eine Pax Americana, die nationale Interessen über das Recht stellt, die Konflikte nach dem Motto regelt „Tue nichts Gutes, dann widerfährt dir nichts Böses", und die im Kampf gegen den Terrorismus die amerikanische Verfassung und die Menschenrechte vergisst, ist unamerikanisch. Sie entspricht nicht der großen Tradition und der großen Verantwortung der USA.

Die USA müssen Vorbild sein und durch das eigene Beispiel führen. Soft power statt hard power, das ist ihre geschichtliche Mission. Colin Powell, der einen großartigen amerikanischen Präsidenten abgäbe, hat zu Recht gefordert, die USA müssten zeigen, dass sie eine großmütige Macht seien, und einen außenpolitischen Stil pflegen, der ohne Ultimaten auskommt.

Eine derartige Strategie,

- die Härte mit Gerechtigkeit, Klugheit und Großmut kombiniert,
- der das Recht wichtiger ist als Rache und
- die das, was sie fordert, vorlebt,

hätte erheblich größere Erfolgschancen, den internationalen Terrorismus zu besiegen als der „muskulöse Interventionismus" George Bushs. Sie hätte die realistische Chance, die Welt in eine Ära des Friedens und der Gerechtigkeit zu führen. Die USA haben das militärische, ökonomische und auch menschliche Potential dazu. Ich setze nach wie vor auf die USA.

Frieden ist schwer, Krieg ist viel leichter. Aber wer nur auf Härte, Härte und nochmals Härte setzt, verspielt alles, was unser Leben lebenswert macht: Freiheit, Gerechtigkeit, Toleranz und Menschlichkeit. Gerade im Zeitalter der Massenvernichtungswaffen und des internationalen Terrorismus gilt John F. Kennedys prophetischer Satz: „Die Menschheit muss dem Krieg ein Ende setzen, sonst setzt der Krieg der Menschheit ein Ende."

XLIII.

Im August 2002 habe ich Sri Lanka besucht. Die Hotel-besitzer schützen dort ihre Luxusanlagen und ihre westlichen Gäste durch hohe Zäune vor der Neugier der bettelarmen Bevölkerung.

Mit begrenztem Erfolg: Die Beachboys, die am Strand darauf warten, dass ihnen von Zeit zu Zeit ein Tourist eine alte Zeitung abkauft oder eine Bootsfahrt mietet, haben Bänke an die Zäune gestellt, von denen aus sie den ganzen Tag auf diese so nahe und doch so ferne Luxuswelt starren.

Auf den morschen Bänken vor dem hohen Zaun meines Hotels standen zeitweise über zehn junge Ceylonesen. In Zweierreihen versuchten sie, einen Blick auf die Liegewiesen zu erhaschen, auf denen westliche Touristen von einheimischen Dienern in Livree bedient wurden. Ein Bild von gespenstischer Symbolik!

Zwar winkten die Beachboys immer freundlich zurück, wenn einer der Touristen sie gnädig grüßte. Aber wird das immer so sein? Werden die Menschen der Dritten Welt auch dann noch freundlich zurücklächeln, wenn der Westen ihre Länder weiter rücksichtslos herumstößt, so wie es ihm gerade in seine geostrategischen Pläne und rohstoffpolitischen Interessen passt?

Werden sie ewig lächeln, wenn Hochzeitsgesellschaften in die Luft gebombt werden, Kinder zu Hunderttausenden durch Sanktionen sterben müssen und amerikanische, britische, deutsche Soldaten in der Dritten Welt überall dort auftauchen, wo es Rohstoffquellen zu sichern gibt?

Wie viel Ungerechtigkeit und Rücksichtslosigkeit erträgt unsere durch Fernsehen und Internet immer enger zusammenwachsende Welt? Wie sehr kann man Menschen demü-

tigen, als Kreaturen dritter Klasse behandeln, ohne dass sie
Widerstand leisten? Werden sie ewig die Zäune akzeptieren,
mit denen wir unsere Luxusghettos vor ihrer Armut, ihrer
Not, ihrer Hoffnungslosigkeit schützen?

Die Sklavenaufstände und die Entkolonisierungskriege
haben gezeigt, dass jedes Pendel einmal zurückschlägt, jede
glimmende Zündschnur einmal die Bombe erreicht. Wo ist
der Punkt erreicht, an dem die Menschen der Dritten Welt,
die immer lächelnden Beachboys eingeschlossen, in alles
vernichtender Gewalt, im Terrorismus, in Männern wie
Bin Laden ihren letzten Ausweg sehen? Es könnte sein,
dass die Anschläge von Djerba, Bali und Mombasa nur ein
leichtes Vorgeplänkel dessen waren, was auf uns zukommt.

Wir werden unsere Freiheit, unseren Wohlstand und unseren Frieden nur bewahren können, wenn wir in Gerechtigkeit genauso viel investieren wie in Waffen. Davon sind
wir weit entfernt. Im Gegenteil: Wir tun – wie al Qaida –
alles, um unser Jahrhundert zu einem Jahrhundert des Terrorismus zu machen. Was ist das für eine Welt, die wir unseren Kindern hinterlassen?